Chères lectrices,

S'il y a bien un sujet sur lequel les avis sont nettement partagés, c'est le surnaturel. Certains refusent d'y croire, soutenant que ceux qui relatent des expériences de cet ordre sont tous des menteurs ; d'autres en affirment l'existence sans qu'eux-mêmes ni aucun de leurs proches n'aient jamais rien vécu de ce genre. Bref, dans ce domaine comme dans beaucoup d'autres, tout est affaire de subjectivité. Et bien sûr, nos héros, qui pour être des personnages de romans n'en sont pas moins profondément humains, possèdent eux aussi une opinion bien tranchée sur le sujet.

Prenez Charlie, par exemple, le héros de *Deux ans de réflexion* (N° 1182). En tant que photographe de guerre, il évolue dans un monde situé aux antipodes du magique et du féerique... Jusqu'au jour où, plongé dans un coma profond suite à une balle perdue, il voit tous ceux qu'il aime ou qu'il a aimés, morts et vivants, s'adresser à lui. Tous sauf une : la femme qu'il a abandonnée deux ans plus tôt par peur de s'engager. Alors, conscient qu'il est passé à côté du plus beau cadeau que lui offrait le destin, il décide de revenir à la vie afin de la retrouver. Comme vous pouvez vous en douter, après une telle expérience, plus rien ne sera jamais pareil pour eux deux.

Quant à Chelsea (N° 1180), son naturel sceptique la pousse à se moquer de son amie Torrie et de son histoire de vêtement aux pouvoirs miraculeux. Selon cette dernière, en effet, ce serait un tel vêtement, rapporté d'un voyage dans une île lointaine, qui lui aurait permis de rencontrer l'homme de sa vie à son retour. Mieux ! cette simple jupe n'attirerait pas seulement l'âme sœur, mais tous les hommes. Un philtre d'amour en tissu en quelque sorte... Plutôt une superstition de vieille femme, oui ! Que Chelsea décide cependant de mettre à l'épreuve... Non sans essayer, au passage, d'en tirer profit.

Alors, que vous soyez sceptiques ou convaincus, faites comme eux, et laissez-vous aller au plaisir d'un moment de magie en découvrant la suite de leurs aventures...

Bonne lecture,

Ce mois-ci, ne manquez pas,
le premier volet de la trilogie

LES CELIBATTANTES

Du charme, de l'ambition...
et une touche de magie !

A l'université, Chelsea, Kate et Gwen partageaient le
même appartement. Depuis ce temps, même si
chacune s'est lancée de son côté dans la vie active,
elles ont toujours gardé contact.

Toutes trois célibataires ? Elles ne le sont peut-être
plus pour longtemps. Elles ont en leur possession
une jupe censée détenir des pouvoirs surnaturels :
attirer les hommes comme un aimant.
Et si la légende était vraie ?

Découvrez-le dès le 1er janvier
avec *Coup de foudre à Manhattan*
(Rouge Passion N°1180)

Père à tout prix

JILL SHALVIS

Père à tout prix

HARLEQUIN

COLLECTION ROUGE PASSION

*Cet ouvrage a été publié en langue anglaise
sous le titre :*
AFTERSHOCK

Traduction française de
SYLVIE CALMELS-ROUFFET

HARLEQUIN ®
est une marque déposée du Groupe Harlequin
et Rouge Passion ® est une marque déposée d'Harlequin S.A.

1.

L'endroit était désert.

Amber Riggs descendit de voiture. Elle prit le temps de lisser du plat de la main la jupe de son tailleur de soie marine, puis scruta l'entrepôt désaffecté ainsi que ses alentours.

Le bâtiment s'élevait sur deux étages, au milieu des broussailles, et si les murs de brique lui conféraient un certain charme, en revanche, l'état de délabrement de la toiture laissait présager d'énormes frais de restauration.

La jeune femme réprima un soupir et, bien qu'elle fût seule, prit soin de ne rien laisser paraître de sa déception. Comme d'habitude, son ravissant visage affichait une expression grave et sereine, reflet de cette parfaite maîtrise d'elle-même qui constituait la clé de sa réussite dans le monde impitoyable des affaires immobilières. D'ailleurs, ce matin même, un article élogieux était paru sur elle dans le *San Diego Daily News* : « Un agent immobilier compétent et rapide... Le meilleur sur la région de San Diego... Difficile de rivaliser avec l'expérience et le sérieux d'Amber Riggs. »

Cette fois-ci, ses talents de négociatrice allaient être mis à rude épreuve, songea-t-elle avec un imperceptible froncement de sourcils. Le bâtiment se trouvait loin du centre-ville, et il était à la limite de l'insalubrité. Mais la difficulté ne faisait pas peur à la jeune femme, bien au contraire. C'était avec ce type de produit qu'on réalisait les meilleures affaires. A plus forte raison quand on s'appelait Amber Riggs et que l'on n'avait pas son pareil pour renverser les situations les plus catastrophiques. Transformer le négatif en positif, tel était son principal talent! Il suffisait pour s'en convaincre d'examiner son compte bancaire et son portefeuille d'actions. Pour une fille qui avait quitté ses parents à dix-huit ans, avec une dizaine de dollars en poche, elle s'était plutôt bien débrouillée.

Posément, elle s'avança vers l'entrée de l'entrepôt, fouilla dans son sac à main, et en sortit une clé. La lourde porte d'acier grinça sur ses gonds, et la jeune femme pénétra dans le bâtiment. Par prudence, elle s'était munie d'une lampe électrique qu'elle alluma avant de s'aventurer plus avant.

L'atmosphère était étonnamment humide, et il flottait une odeur déplaisante. Le faisceau de lumière jaune courut sur des murs nus et un vieux lino. Tout était sombre. Amber frissonna, brusquement assaillie par des terreurs anciennes. Elle retrouvait cette panique familière, contre laquelle elle luttait depuis tant d'années. Le noir était son ennemi... Dans un flash, elle se revit petite fille, blottie dans le placard obscur sous l'escalier, là où son père l'enfermait à la moindre incartade, à la moindre parole déplacée. Elle y avait passé tant d'heures, tant de jours, seule, terrorisée, rejetée de tous...

Nerveusement, Amber avala sa salive. Bon sang, à vingt-cinq ans, il n'était plus temps de s'apitoyer sur soi-même : c'était une perte de temps et d'énergie. Par un suprême effort de volonté, elle refoula donc les souvenirs intolérables qui ressurgissaient sans crier gare.

Elle prit une profonde inspiration, et poursuivit la visite. Le rez-de-chaussée paraissait immense, et l'obscurité encore plus épaisse. De nouveau, la jeune femme se sentit transpercée par l'aiguillon de la panique. Ses paumes étaient moites.

Redressant le menton, elle s'exhorta au calme. Il n'y avait aucune raison de paniquer. Elle n'était plus une enfant. Certes, elle détestait se retrouver seule dans le noir, mais ce n'était pas une raison pour perdre son sang-froid et se sauver à toutes jambes sans avoir pris le temps de dénicher le petit *quelque chose* qui allait faire de ce tas de briques une affaire fantastique.

Elle reprit son exploration. Au fond du hall, une porte s'ouvrait sur des escaliers qui devaient conduire au sous-sol. Prenant une nouvelle bouffée d'oxygène, elle brandit courageusement sa lampe et se hasarda dans les profondeurs du bâtiment. Elle pénétra dans ce qui lui semblait être une pièce basse de plafond et de bonnes dimensions. L'obscurité était totale.

Une odeur de moisi lui fit froncer le nez.

Le silence paraissait presque surnaturel, et Amber se sentit subitement glacée. Tout à coup, elle crut entendre le son étouffé d'une voix d'homme. Impossible. L'endroit était désert. Comme toujours, elle était seule...

Brusquement, il lui sembla que l'air s'alourdissait, devenait irrespirable. Le tonnerre gronda dans le lointain. Elle se mit à trembler. Il lui fallut quelques secondes pour remarquer que c'était le sol qui bougeait. Alors, elle comprit.

Un tremblement de terre.

Elle courut en titubant vers l'escalier, puis retourna en arrière en battant des bras, et lâcha sa lampe avant de tomber à genoux.

La terre semblait s'être réveillée, tel un monstre sortant d'une longue hibernation.

Le temps cessa d'exister.

Ballottée en tous sens, Amber avait l'impression que le séisme durait depuis une éternité. Le sol ondulait. Ses dents s'entrechoquaient. Le vacarme était assourdissant : sifflements, grondements, bruits de ferraille tordue, briques qui volent en éclats. Soudain, une secousse plus violente que les autres la projeta tête la première contre un mur, faisant exploser une myriade d'étoiles sous son crâne.

Et le dernier bruit qu'elle entendit fut le hurlement terrifié qui s'échappait de sa gorge.

C'était l'une de ces belles journées d'automne où l'air transparent semblait vibrer sous le ciel bleu acide de Californie. Dame Nature s'était toujours montrée généreuse avec le comté de San Diego, si bien qu'à la mi-novembre, la brise océanique restait douce et l'horizon sans nuages.

Le sourire aux lèvres, Dax McCall longeait la côte au volant de son 4 x 4. Il savourait la sensation du vent dans ses cheveux. Il se grisait des odeurs d'humus apportées par la terre. En deux mots, il était heureux, totalement à l'aise avec lui-même et avec le monde.

Ce samedi était son premier jour de congé depuis deux longues semaines de travail intensif. Non pas qu'il s'en plaignît : il adorait son boulot d'inspecteur au département incendie. Mais les journées étaient parfois pénibles, et son cerveau réclamait un répit de temps à autre. D'ailleurs, l'enquête qu'il venait de boucler avait sérieusement sapé son énergie. Il s'agissait d'un incendie criminel ayant causé la mort de cinq personnes et, parfois, la nuit, quand il fermait les yeux, il voyait les corps carbonisés des malheureuses victimes. Pire, il voyait les visages de ceux qu'il questionnait : tous des proches des victimes. L'horreur. La douleur. L'accusation. Le désespoir.

Finalement, ce week-end de détente était le bienvenu. Et pourquoi ne pas envisager une petite semaine de vacances ? songea-t-il, les yeux soudain pétillants d'enthousiasme. Il pourrait ainsi se porter volontaire pour donner un coup de main aux pompiers qui luttaient, en ce moment même, contre de violents feux de forêt dans le Montana. Evidemment, il ne s'agirait pas de vacances au vrai sens du terme, mais ce serait l'occasion de retourner affronter les flammes, de redevenir le soldat du feu qu'il avait été jusqu'à sa récente promotion au grade d'inspecteur, et qu'il resterait toujours au fond de son cœur.

La sonnerie de son portable interrompit le cours de ses pensées. Il ralentit, puis se rangea sur le bas-côté de la route, et prit l'appel avec l'enthousiasme d'un gamin quand vient l'heure de se mettre au lit.

— Salut, petit frère !

Shelley. L'aînée de ses sœurs l'appelait toujours pour une seule et unique raison.

— La réponse est non ! déclara Dax d'emblée, en s'efforçant de prendre un ton sévère.

— Frérot, tu ne sais même pas ce que je vais te demander ! répliqua Shelley, nullement découragée.

— Oh ! si, je le sais ! C'est un tout petit service, pas vrai ? Un minuscule service pour une amie au bord du désespoir.

— Mais je n'ai jamais dit qu'elle était désespérée !

« Dans le mille, une fois de plus ! » songea Dax avec un soupir à la fois résigné, amusé et attendri.

Il adorait ses sœurs, même si elles le rendaient parfois complètement dingue à force de le materner. De ce côté-là, la situation était désespérée, car, en dépit de son mètre quatre-vingt-cinq et de ses quatre-vingts kilos de muscles, il restait le petit dernier de la famille McCall.

— On ne va pas revenir là-dessus, Shel, dit-il calmement. Inutile de te donner tant de mal pour me caser : je te l'ai répété cent fois !

Quelques jours plus tôt, il avait, en effet, précisé à chacune de ses sœurs — toutes aussi bruyantes, affectueuses et dévouées les unes que les autres — qu'il refuserait, désormais, de se rendre à leurs rendez-vous qui n'étaient rien d'autre que des guet-apens.

Certes, à vingt-sept ans, il n'était toujours pas marié. Et après ? Le célibat réservait bon nombre d'avantages à ceux qui, comme lui, savaient en profiter. Malheureusement, ses sœurs ne semblaient pas partager son enthousiasme, si bien qu'elles ne cessaient de jouer les marieuses. Inlassablement, elles lançaient leurs amies esseulées à ses trousses — quand ce n'était pas les amies des amies ou les sœurs des amies des amies. Bref, c'était une véritable entreprise de harcèlement !

— Bon, écoute, Shel, il faut que j'y aille. Une affaire urgente à régler, dit-il en manœuvrant pour reprendre la route.

— Ne me raconte pas d'histoires ! Tu cherches seulement à te débarrasser de moi. Allons, Dax, fais-moi plaisir. Un petit effort ! Ta dernière conquête ressemblait à une Dolly Parton d'une vingtaine d'années, dotée d'une cervelle d'oiseau-mouche.

Dax leva les yeux au ciel. A quoi bon se disputer pour ce qui n'était, après tout, que la vérité ? Oui, d'accord, il avait un faible pour les blondes pulpeuses, sans prétentions intellectuelles. Et, jusqu'à preuve du contraire, ce n'était pas un crime !

— Hé, je ne me mêle pas de ta vie sentimentale ! répliqua-t-il pour la forme.

— Parce que je suis une femme mariée !

— Allô ?... Allô ?... Je ne t'entends plus très bien ! hurla Dax, avant d'imiter de façon fort convaincante le bruit d'une fréquence parasitée.

— Où es-tu ? cria Shel sans se laisser décourager.

— La route 2, près du vieux moulin, répondit Dax avec un soupir résigné.

Comme il précisait sa position, il fronça les sourcils et, machinalement, appuya sur la pédale de frein. A sa gauche, s'élevait un entrepôt cerné par les broussailles. L'endroit, abandonné depuis des années, figurait sur sa liste des zones à risque. Et son job d'inspecteur consistait, entre autres choses, à en éloigner les sans-abri, les gamins en quête d'aventures et les amoureux transis. Mais, aujourd'hui, une

12

petite voiture de sport rutilante était garée pile devant l'entrée. Et, bien entendu, pas de conducteur en vue.

— Nom d'un chien !

— Dax McCall !

— Excuse-moi, Shel. Là, il faut vraiment que j'y aille.

— Arrête tes salades...

Dax éteignit son portable. Shelley allait être dans tous ses états pendant une petite demi-heure, ce qui lui laissait amplement le temps d'aller dire deux mots à l'imbécile qui furetait là où il ne fallait pas.

La porte du bâtiment était entrebâillée. Elle n'avait pas été forcée. L'intrus possédait donc une clé. Un agent immobilier ? Dax secoua la tête d'un air incrédule. Les murs de brique s'effritaient, le toit tombait en ruine. Un coup de vent, et l'ensemble s'effondrerait comme un château de cartes. Qui pourrait bien avoir envie d'acheter ce tas de gravats ?

Dax poussa la porte, s'attendant à se trouver nez à nez avec le visiteur imprudent.

Personne.

Seuls le silence et l'obscurité l'accueillirent.

— Hello ?

La forte odeur de moisi le fit grimacer. Manifestement, il n'y avait pas d'autre issue que la porte qui se trouvait derrière lui... Le cauchemar pour un pompier.

Il maintint la porte entrouverte à l'aide d'une pierre, et s'aventura à l'intérieur du bâtiment.

— Brigade incendie ! lança-t-il haut et fort. Sortez d'ici ! Cet endroit est dangereux !

Dans la pénombre, il crut apercevoir une porte ouverte au fond de la pièce. Les sourcils froncés, il s'avança à tâtons dans cette direction. Comme il penchait la tête dans ce qui lui semblait être une cage d'escalier donnant accès au sous-sol, il distingua un pinceau de lumière en contre-bas.

— Hé ! cria-t-il en posant un pied sur la première marche. Attendez !

Ce furent ses derniers mots avant que le tremblement de terre ne le fît tomber à la renverse.

Californien de naissance et pompier, de surcroît, Dax avait l'expérience des secousses sismiques. Cependant, il n'y avait rien de plus perturbant que de se faire renverser sans sommation et de sentir le sol onduler sous vos pieds.

Les murs s'animèrent. Ils se courbaient et oscillaient comme des bouts de ficelle. Dans un ultime réflexe de survie, Dax s'agrippa à la rampe de l'escalier.

— Tiens bon, mon vieux ! se dit-il en serrant les dents. Tiens bon !

« Une secousse d'au moins 6-0 sur l'échelle de Richter », estima-t-il avec le détachement du spécialiste, tout en priant pour que la terre mît un terme à sa frénésie.

Mais le séisme durait. Dax perçut une sorte de rugissement assourdissant, suivi de craquements sourds.

Mauvais signe... Très mauvais signe.

Comme il baissait la tête vers ses genoux pour tenter de protéger sa nuque, de lourds débris tombèrent du plafond en crépitant autour de lui.

Alors, l'angoisse le saisit. L'édifice était trop vétuste pour résister à une telle secousse. Deux étages allaient s'effondrer sur sa tête.

Un goût métallique emplit sa bouche, et il s'aperçut qu'il était en train de se mordre la langue. S'attendant à voir défiler toute sa vie devant ses yeux, il fut surpris de ne pouvoir penser qu'à sa famille. Nul ne saurait où chercher son corps. Sa mère en mourrait de chagrin. Et ses sœurs n'auraient jamais plus le plaisir de jouer les marieuses.

Soudain, le sol céda sous lui. Il tomba.

Et, dans cette chute sans fin, il entendit un hurlement.

2.

Dax atterrit durement sur le dos.

Le choc le mit KO l'espace de quelques secondes. Puis il rouvrit lentement les yeux sur les ténèbres. L'escalier s'était écroulé sous lui. Ça n'allait pas simplifier le retour à la surface, songea-t-il calmement, en professionnel habitué à faire face aux situations extrêmes.

Brusquement, il se rappela le hurlement qu'il avait entendu.

— Hello! Inspecteur McCall de la brigade incendie! lança-t-il d'une voix éraillée.

Se redressant sur les genoux, il inspira une bouffée de poussière, et fut pris d'une violente quinte de toux. Quand il eut péniblement récupéré son souffle, il reprit ses appels.

— Hello! Il y a quelqu'un?

— Par ici!

Une voix de femme. Bon sang, il aurait dû s'en douter! Il n'y avait qu'une femme pour aller fureter dans ce piège à rats! songea-t-il entre ses dents, tout en escaladant ce qui lui paraissait être une montagne de briques et d'acier.

— J'arrive! cria-t-il, le souffle court. Où êtes-vous?

Il entendit la femme s'étrangler et cracher la poussière que tous deux respiraient.

— Ici! cria-t-elle, à l'instant même où il la rejoignait et posait la main sur sa jambe. Oh!

Manifestement surprise par le contact, elle recula vivement.

Fermement déterminé à faire son devoir de secouriste — en l'occurrence, vérifier que la victime n'était pas sérieusement blessée —, Dax se rapprocha prudemment, et entreprit de palper le corps qu'il sentait se raidir sous ses doigts.

L'inconnue émit deux ou trois sons incompréhensibles.

— Vous souffrez ? lui demanda Dax.

Et, sans attendre sa réponse, il poursuivit son examen méthodique en se maudissant silencieusement pour ne pas avoir pris la précaution élémentaire de se munir d'une lampe électrique. Il fit courir ses mains sur les bras fins et déliés de la jeune femme, puis sur ses jambes longues, fines et merveilleusement galbées.

— Arrêtez ! lança-t-elle en tentant de le repousser.

Et quand il effleura ses hanches, elle se débattit brusquement comme une furie, agitant bras et jambes en tous sens — preuve s'il en était qu'elle n'avait rien de cassé.

Un talon percuta durement le menton de Dax qui fit une grimace de douleur.

— Du calme ! Je ne vous veux aucun mal, dit-il de cette voix douce mais ferme qui avait déjà rassuré des centaines de victimes.

— Alors, ne me touchez pas !

— Une minute ! Je dois d'abord m'assurer que vous n'êtes pas blessée, dit-il en posant doucement les mains sur sa taille fine.

— Je vais très bien ! Otez vos pattes de là, et laissez-moi récupérer ma lampe torche !

D'un mouvement vif, l'inconnue voulut s'écarter et, aussitôt, elle laissa échapper un cri de douleur.

— Laissez-moi faire, dit Dax calmement, en palpant du bout des doigts sa fragile cage thoracique.

Rien de cassé de ce côté-là — à part sa propre respiration parce que le simple fait de toucher ce corps de femme, de le deviner dans l'obscurité était une expérience incroyablement érotique.

16

Brusquement, il effleura ses seins, et elle s'empressa de croiser les bras sur sa poitrine en poussant un petit cri de protestation et en le repoussant de nouveau.

Sans se laisser décourager pour autant, Dax poursuivit son examen, et finit par localiser une petite zone humide et collante sur l'épaule gauche. Du sang, probablement.

— Vous êtes légèrement blessée à l'épaule, annonça-t-il, sans laisser deviner qu'il était inquiet à cause du risque d'infection dû à la poussière ambiante.

— Ce n'est rien ! décréta l'inconnue d'un ton sec qui se voulait ferme, mais qui la faisait paraître encore plus vulnérable, d'autant qu'à présent, elle tremblait comme une feuille.

Alors, étrangement, Dax McCall sentit monter en lui une émotion d'un genre inconnu. Aucune des victimes qu'il avait secourues ne l'avait jamais touché à ce point par ce curieux mélange de courage et de fragilité. Troublé, il exécuta machinalement les gestes de premiers secours. Il déchira une manche de sa chemise et l'enroula autour de l'épaule blessée afin de protéger la plaie.

La jeune femme tremblait toujours.

— Ça va ? lui demanda-t-il doucement.

Si elle tombait en état de choc, il ne pourrait pas faire grand-chose dans cette obscurité, se dit-il, l'estomac subitement noué à cette idée.

— Je veux sortir d'ici, déclara soudain l'inconnue d'une voix radoucie.

— Vous avez froid ? Laissez-moi...

Comme Dax tentait de se rapprocher, elle recula précipitamment.

— Je vous ai dit que j'allais bien.

Le calme contenu dans cette voix féminine était stupéfiant.

Grâce à ses trois sœurs, Dax n'ignorait rien des crises de nerfs féminines, et les considérait même comme monnaie courante. Un ongle cassé, une averse en sortant de chez le coiffeur ou le mariage de Brad Pitt, et c'était la fin du monde! L'apocalypse dans tous les sens du terme avec des cris et des larmes.

Philosophe, il ne s'étonnait donc pas que ses conquêtes féminines — et Dieu sait qu'elles étaient nombreuses car les filles avaient un faible pour lui — fussent sur le même modèle que ses sœurs. A l'évidence, les femmes se ressemblaient toutes, à une exception près : celle qui était à côté de lui... celle qu'il ne pouvait pas voir... seulement deviner.

Une fois de plus, l'inconnue tenta de s'écarter.

Il la sentit qui se contorsionnait pour se relever.

— Hé, doucement! lui dit-il.

— Ne vous faites pas de souci pour moi : je ne vais pas m'évanouir, riposta-t-elle d'une voix qui trahissait son profond mépris pour ce genre de faiblesse. Ce n'est pas mon genre. Tout ce que je veux, c'est récupérer ma lampe torche. Elle ne doit pas être bien loin. Je vais la retrouver.

Et là, en dépit des circonstances, son ton autoritaire de reine outragée amena un sourire sur les lèvres de Dax.

— Dans ce cas, laissez-moi vous aider.

Luttant pour se frayer un chemin dans les gravats, il se mit à tâtonner méthodiquement chaque centimètre carré, à la recherche de la lampe.

— On peut dire que vous avez un sacré sang-froid! déclara-t-il machinalement.

— Ce n'était qu'un tremblement de terre.

— Un sacré tremblement de terre!

— Est-il indispensable de ponctuer chacune de vos remarques par un juron?

— Excusez-moi, je vais essayer de faire attention, répondit Dax d'un ton conciliant, soucieux de ne pas envenimer une situation déjà tendue.

Quelques secondes plus tard, ses doigts se refermaient sur la torche. La pile était pratiquement morte, mais le mince faisceau de lumière qu'il projeta en avant lui suffit pour constater l'ampleur des dégâts. Laissant échapper un soupir découragé, il ne put s'empêcher de lâcher une volée de jurons.

— Je croyais que vous deviez maîtriser votre langage... Mon Dieu ! C'est...

Dans son dos, la jeune femme laissa sa phrase en suspens.

— C'est affreux, souffla-t-elle finalement.

— Oui, affreux, répéta Dax d'une voix mécanique, prenant peu à peu conscience du tragique de leur situation.

L'escalier n'existait plus. Pour sortir du sous-sol, il n'y avait désormais d'autre issue que le trou à une dizaine de mètres au-dessus d'eux. Et pour l'atteindre, une seule solution : escalader le tas de gravats — anciennement l'escalier.

— Tout le bâtiment s'est écroulé, n'est-ce pas ? demanda doucement l'inconnue, toujours postée derrière lui.

Une seconde, Dax songea à lui mentir. Son instinct de secouriste lui soufflait de la rassurer et de la protéger, comme il l'aurait fait pour n'importe quelle autre victime. Mais voilà, cette femme-là n'était pas n'importe quelle victime ! Elle ne semblait pas du genre à se laisser bercer par des paroles de réconfort. Alors, le faisceau de la lampe toujours orienté sur l'amas de briques et de béton devant lui, il hocha lentement la tête.

— Ça m'en a tout l'air, répondit-il d'un ton fataliste.

— Nous n'avons aucune chance de nous en sortir ?

Ce n'était pas vraiment une question, mais plutôt un diagnostic ferme.

Comment pouvait-elle conserver ce ton si calme, alors qu'elle devait être terrifiée ? se demanda Dax.

— N'exagérons pas : la situation n'est pas désespérée. Nous avons de l'air, déclara-t-il avec un optimisme forcé. Et un peu de lumière.

Ce fut le moment que choisit la lampe pour s'éteindre définitivement.

Dans le silence angoissant qui s'ensuivit, Dax perçut distinctement le soupir accablé de sa compagne d'infortune.

Spontanément, il tendit la main vers elle, et, de façon surprenante, elle s'y agrippa.

— Nous aurions pu être aplatis comme des crêpes, déclara-t-elle gravement.

— C'est vrai, dit Dax, tout en songeant qu'il y avait de fortes chances pour qu'ils fussent réduits à l'état de galettes d'un instant à l'autre, dès que le plafond qui les protégeait céderait sous les tonnes de matériaux des étages supérieurs.

Difficile de prévoir combien de temps tiendrait la charpente. De toute façon, il était peu probable que l'ensemble résistât aux inévitables répliques d'un tremblement de terre.

— Quelqu'un sait-il que vous êtes ici ? demanda-t-il posément, en tâchant de cacher son horreur grandissante et son découragement.

— Non.

A travers leurs mains jointes, il la sentit frissonner de nouveau.

La nature de son métier l'avait parfois placé dans des situations périlleuses, mais jamais, jusqu'à cet instant, il n'avait éprouvé un tel sentiment d'impuissance et d'échec. Pour la première fois de sa vie, il avait l'impression que la chance l'abandonnait. Mais, comme ce n'était pas son genre de baisser les bras, il s'efforça de se ressaisir, prit une profonde inspiration... et faillit s'étouffer avec la poussière.

— Venez, essayons de trouver une pièce où nous serons plus en sécurité et où l'air sera plus respirable, proposa-t-il entre deux quintes de toux.

En priant Dieu et ses saints, on pouvait toujours espérer un miracle, comme, par exemple, le fait de tomber sur un abri anti-atomique, ajouta-t-il mentalement, tout en se maudissant de ne pas avoir eu le réflexe de diriger le faisceau de la lampe sur la jeune femme, tout à l'heure. Il n'avait même pas vu son visage ; il savait seulement qu'elle avait un corps de déesse.

— Ça va aller, décréta-t-elle d'une voix qui se voulait ferme en dépit des frissons qui continuaient de la secouer. Il ne nous reste plus qu'à dénicher un lieu sûr pour attendre les secours, pas vrai ?

Dax préféra lui laisser ses espoirs dans la mesure où lui-même ne se sentait pas le courage d'affronter la réalité telle qu'elle était. C'est-à-dire qu'au moment où le plafond céderait, des tonnes de briques et de béton s'abattraient sur leurs têtes, ne leur laissant aucune chance de survie, où qu'ils se trouvent.

De toute façon, ils n'avaient pas le choix. L'action était préférable à l'attente d'une mort inéluctable, se dit-il en gravissant un tas de gravats pour dégringoler sur la pente opposée. Et, prudemment, en se frayant un chemin dans l'obscurité la plus totale, à travers les poutrelles métalliques, les briques et les morceaux de béton, ils entreprirent de chercher un abri. Leur progression était lente et difficile. Dax s'était attendu à supporter les cris et les plaintes de sa coéquipière. Mais, à sa profonde surprise, il n'en fut rien. Tel un vaillant petit soldat, elle le suivit stoïquement, et il commençait à se poser des questions sur ce que cette fille avait bien pu vivre pour être aussi forte aujourd'hui.

Leur exploration des lieux les conduisit finalement dans ce qui semblait être un bureau. Toujours à tâtons, ils repérèrent deux chaises, un canapé et une imposante table de travail.

Un grondement sourd fut l'unique avertissement, mais ce fut suffisant pour qu'Amber se jette instinctivement contre cet étranger qui, d'un seul coup, incarnait le centre de son univers. Plus tard, elle s'en voudrait de cette réaction irréfléchie, mais, sur le moment, elle se moquait de garder ou non la tête froide.

Comme la terre se remettait à onduler sous ses pieds, elle sentit des bras solides l'enlacer et la forcer à s'allonger sur le sol.

— Vite, ordonna Dax en la poussant sous la table.

En rampant, il vint se coucher contre elle, de manière à lui faire un rempart de son corps.

La tête écrasée contre son torse, Amber croyait vivre la fin du monde. Une fois de plus, le temps s'arrêta.

Blottie dans le noir, la jeune femme était consciente que l'étranger qui la tenait serrée contre lui devait être — tout comme elle — mort de peur. Luttant contre la panique, elle se pelotonna spontanément dans sa chaleur.

Quelques secondes plus tard, la terre émit un long frisson convulsif, et se calma aussi brusquement qu'elle s'était réveillée.

Alors, Amber prit lentement conscience de la façon dont chaque partie de son corps était intimement soudée au corps de cet homme qu'elle ne connaissait ni d'Eve ni d'Adam. Un inconnu. Elle s'était jetée au cou d'un inconnu !

Mortifiée, elle se dégagea d'une secousse. Aussitôt, Dax la libéra et s'écarta. Ils restèrent ainsi, allongés à quelques centimètres l'un de l'autre, retenant leur respiration.

Le plafond semblait avoir résisté à la secousse. Le silence était angoissant.

— Ça a tenu, murmura Amber.

— Apparemment...

Dans le noir, elle sentit son compagnon bouger, et devina qu'il s'était redressé sur un coude.

— Vous êtes vraiment incroyable ! dit-il.

— Pourquoi ?

— Vous faites preuve d'un tel calme.

— Comme vous.

— Oui, mais...

— Mais je suis une femme, c'est ça ?

— Désolé, répliqua Dax d'une voix amusée. Mais oui,

22

vous êtes une femme, et je pensais que, sur ce coup-là, vous perdriez le nord.

Perdre le nord. Non, ce n'était vraiment pas le style d'Amber Riggs, championne de self-contrôle et d'auto-discipline. Dieu sait que, dans ce domaine, elle avait été à bonne école. Le maître en personne lui avait enseigné son art. Son père, le capitaine Riggs, avait exigé d'elle la perfection ainsi qu'une totale soumission. Il avait presque réussi...

Subitement, le fait que son père, cet être froid, autoritaire et inflexible, fît de nouveau irruption dans ses pensées en cet instant crucial de son existence où chaque seconde comptait l'exaspéra. Elle tenta de chasser les images sombres de son passé.

— Je déteste les gens qui se donnent en spectacle sous quelque prétexte que ce soit, déclara-t-elle d'un ton glacial.

Et si sa voix semblait avoir la dureté de l'acier, elle n'y pouvait rien. Pire, elle en était fière. Fière d'afficher cette façade froide et sereine qu'elle s'était donné tant de mal à construire. Combien de fois ne s'était-elle pas entendu dire qu'elle ne devait pas ressembler à sa mère ? Cette mère impulsive et sentimentale qui avait pris la fuite peu de temps après sa naissance. Cette mère qu'elle n'avait pas connue... Une *femme légère,* comme se plaisait à le lui rappeler son père.

Non, Amber ne serait jamais cette femme-là. Le capitaine Riggs s'était chargé de la discipliner en prenant soin de ne faire intervenir aucune influence féminine dans son éducation. Durant de longues années, il avait été son unique interlocuteur, le centre de son existence. Elle avait tout fait pour obtenir de lui un signe d'affection, de satisfaction ou d'approbation. En vain. Elle avait donc appris à s'en passer. Elle n'avait pas besoin de son père, ni de personne d'autre, d'ailleurs. Et, surtout, elle n'avait pas besoin de ce dont elle se croyait secrètement indigne... Elle n'avait pas besoin d'amour.

23

Elle avait donc choisi de mener une existence solitaire, tout à fait tranquille, presque parfaite, selon elle. Par la force des choses, elle était devenue une droguée du travail — l'unique voie où ses sentiments ne seraient pas mis à l'épreuve, là où seule comptait l'image qu'elle voulait bien donner d'elle-même, sans risque d'être blessée ou déçue. Le reste du temps, elle s'appliquait à garder ses émotions pour elle, à rassembler ses idées sans passion, et à exprimer seulement la moitié de ce qu'elle ressentait réellement.

Alors, pourquoi ce sentiment de regret lancinant la poignardait-il brusquement tandis qu'elle attendait sa dernière heure ? Quelle était cette terrible nostalgie qui s'emparait d'elle, cette soudaine certitude d'être passée à côté de la vie à force de tenir en laisse ses émotions et ses passions ?

Elle était seule. Pas de mari, pas d'enfant. Même pas un petit ami ou un amant occasionnel. Une femme stérile pour une vie dénuée de sens.

Quel effet cela ferait-il de savoir qu'en cet instant même, quelqu'un l'attendait, fou d'inquiétude, fou d'amour pour elle ?

Elle ne le savait pas... et ne le saurait jamais.

Un nouveau grondement se fit entendre.

Avant qu'elle pût l'en empêcher, Dax se coucha sur elle, l'enveloppant dans la chaleur de ses bras protecteurs.

Comparé à la précédente, cette secousse fut de moindre amplitude — soulagement relatif qui permit, cependant, à Amber de penser à autre chose qu'à sa peur... de penser à l'homme contre lequel elle se serrait.

Elle percevait les battements sourds de son cœur ; elle sentait ses mains à la fois fermes et douces sur sa taille. Elle percevait chaque frémissement de ses muscles tandis qu'il la plaquait contre lui. Et puis, il y avait cette sensation étrange qui la submergeait, comme une vague d'euphorie qui la parcourait des pieds à la tête. Il lui fallut un moment pour se rendre compte avec horreur et stupéfaction qu'elle était la proie d'un élan sauvage de pur désir sensuel.

Seigneur, voilà qu'elle devenait aussi folle que sa mère !

Elle n'arrivait pas y croire. Le contact de son corps contre celui de cet inconnu — comparable au contact de la glace et du feu — la déconcertait. Le danger ! se dit-elle. Ce n'était que le danger, le sentiment d'une mort toute proche qui la mettait dans cet état de dépendance physique et... oui, affective... envers cet homme.

— Ça va, murmura Dax de cette voix incroyable, cette voix profonde et veloutée qui la faisait fondre dangereusement.

Il n'était pas pour elle. Elle ne le voulait pas et, en même temps, il lui semblait impensable de se détacher de lui. Elle entendit un gémissement, et s'aperçut aussitôt avec horreur qu'il venait d'elle.

Submergée par un flot d'émotions longtemps refoulées au plus profond d'elle-même, Amber s'affola. Elle devait à tout prix se libérer de l'étreinte de cet homme. Là était le danger ! Alors, elle se débattit.

— Du calme ! N'ayez pas peur, dit-il quand elle commença à lutter contre lui — ou plutôt contre elle-même.

Avec une facilité effrayante, il la maintint plaquée au sol. Il la dominait, la maîtrisait sans effort apparent.

Au-dessus de leurs têtes, le niveau sonore devint brusquement insupportable. Un pan de mur s'abattait, tout près, et des briques s'écrasaient sur la table, projetant sur eux des débris.

C'était la fin. Ils allaient périr. Il fallait qu'elle sorte de ce trou !

Mais il la retenait fermement.

— N'essayez pas de vous débattre ! lui ordonna-t-il. Nous devons rester sous ce bureau.

— Non ! hurla Amber en se tortillant, soudain folle de terreur à l'idée d'être ensevelie vivante sous des tonnes de béton.

Elle dégagea l'un de ses bras, et tenta de frapper son

compagnon qui reprit rapidement le contrôle de la situation. Les poignets emprisonnés dans une main d'acier, Amber poussa un cri de rage et de frustration. Pour la première fois depuis bien des années, elle perdait son sang-froid.

— Lâchez-moi! hurla-t-elle. Je veux sortir d'ici!

— Pas question!

Sa voix était douce mais inflexible, tandis qu'il la maintenait plaquée au sol, les poignets relevés au-dessus de la tête.

Comme elle continuait à se débattre, il la secoua gentiment.

— Ecoutez-moi! Les étages supérieurs se sont effondrés. Si vous quittez la sécurité de cette table, quand le plafond va céder...

Abasourdie, vaincue, Amber s'immobilisa. Il n'avait pas dit *si* le plafond cède, mais *quand* le plafond va céder. Il n'avait pas eu besoin de finir sa phrase...

— On dirait que la secousse diminue d'intensité, murmura Dax quelques secondes plus tard.

Sa joue effleura celle de la jeune femme.

— C'est fini, ajouta-t-il.

— Lâchez-moi! souffla Amber.

— D'accord. Si vous me promettez de ne pas faire de bêtises.

Des bêtises. C'était la meilleure! Elle allait mourir alors qu'elle n'avait jamais vraiment vécu, et elle ne laisserait rien derrière elle, excepté un compte en banque bien garni. Et *ça*, c'était une bêtise. Une énorme bêtise!

— Lâchez-moi! répéta-t-elle.

— Pas avant que vous ne m'ayez promis de ne rien faire qui puisse déséquilibrer le tas de briques qui est suspendu au-dessus de nos têtes.

En guise de promesse, Amber se tortilla pour tenter encore une fois de se dégager. Ce faisant, elle prit brusquement conscience qu'elle n'était pas la seule à être affectée par la proximité de leurs corps.

26

Il la désirait.

Il la désirait, *elle*, Amber Riggs.

Elle ne put s'empêcher de soulever légèrement ses hanches. Elle avait entendu dire que le fait de passer à deux doigts de la mort réveillait les pulsions sexuelles. En cet instant, elle en avait la confirmation. Elle percevait une douleur sourde entre ses jambes, et sentait les bouts de ses seins comprimer son soutien-gorge. *C'est la vie*, songea-t-elle honteuse de ses pensées coupables. *Vas-y, profites-en!*

Timidement, elle fit un léger mouvement.

Dax marmonna quelque chose : un juron, une prière, elle n'en avait aucune idée, mais ce murmure rauque ne fit qu'attiser son désir. Incapable de le réprimer, elle plaqua ses hanches contre le ventre de son compagnon.

— Je ne connais même pas votre nom, dit-il en lui lâchant les poignets pour faire glisser ses mains le long de ses bras.

— Amber.

— Daxton McCall. Dax.

Lentement, presque en hésitant, il caressa son visage. C'était si doux qu'elle crut avoir rêvé. Et, brusquement, son univers bascula. Etait-ce une nouvelle secousse ou simplement le son de cette voix rauque, la chaleur de ce corps musclé, puissant, protecteur?

— Vous tremblez, murmura-t-il. Laissez-moi vous réchauffer.

Doucement, tendrement, il la serra contre lui, promenant ses mains sur son dos en un langoureux va-et-vient, la plaquant contre lui... pour qu'elle prît conscience de sa brûlante virilité, pour qu'elle comprît qu'elle était en train de le rendre fou de désir.

« C'est mal, songea Amber confusément. C'est très mal de se blottir dans les bras d'un inconnu. »

Cependant, elle ne pouvait ignorer la nature et la force de son propre désir. Elle ne pouvait repousser cette force qui était la vie. Elle en avait même désespérément besoin. Besoin de se prouver qu'elle faisait encore partie de ce monde. Désormais, elle allait vivre intensément, passionnément chaque seconde qu'il lui restait.

Mais, au moment même où elle se faisait cette promesse, un grondement assourdissant emplit l'obscurité, telle une onde de choc. Les murs oscillèrent, le plafond craqua. Serrés l'un contre l'autre, Amber et Dax retenaient leur respiration, attendant la seconde suivante.

Aucune chance de s'en sortir, cette fois. C'était bel et bien la fin du voyage.

Ils allaient mourir.

3.

Terrorisée, Amber hurla le nom de Dax McCall.

— Je suis là, murmura-t-il en resserrant son étreinte.

— Tout ce bruit... le noir... Je ne peux pas le supporter !

— Calmez-vous.

— J'ai tellement peur !

— Je sais. Serrez-vous contre moi. Plus près.

Alors, Amber enfouit son visage dans le cou de l'homme qui l'enlaçait, lui faisant un cocon de ses bras. Elle respira profondément son odeur masculine mêlée aux effluves d'une eau de Cologne à peine épicée, pour essayer de la graver dans sa mémoire, pour oublier sa terreur, la mort toute proche.

— Nous allons mourir, souffla-t-elle.

Elle sentit qu'il secouait doucement la tête en signe de dénégation.

— Dites-moi la vérité !

— Je ne peux pas le croire, murmura Dax.

Alors, soudain, Amber se mit à pleurer, non pas avec élégance, mais à gros sanglots convulsifs. Incapable d'endiguer la vague de révolte qui la submergeait, elle expliqua entre deux hoquets :

— Je ne veux pas finir comme ça ! Je n'ai pas eu le temps de vivre. Ne me dites pas que c'est trop tard !

Dax ne dit rien. La serrant plus étroitement contre lui,

contre son corps chaud et ferme, il la laissa pleurer dans son cou, tout en murmurant des paroles de réconfort dans ses cheveux. Il s'écoula ainsi de longues secondes pendant lesquelles ni l'un ni l'autre ne purent ni parler ni réfléchir, juste prier pour que le plafond résistât à la prochaine secousse.

Peu à peu, les craquements s'espacèrent. Lentement, Amber redressa la tête.

— Dax, quand je pense à tout ce que j'aurais voulu...

— N'y pensez pas.

— Mais je ne peux pas m'en empêcher!

— Vous vous faites du mal. Vous tremblez.

L'inquiétude contenue dans sa voix bouleversa la jeune femme. Il ne la connaissait même pas, et il se faisait du souci pour elle. Comment était-ce possible? Personne ne s'inquiétait jamais pour Amber Riggs. Evidemment, tout était sa faute. Uniquement sa faute. Sa farouche indépendance avait interdit à quiconque l'accès à son intimité, à ses souffrances... le droit de la protéger.

Ça ne pouvait plus durer. Il fallait que ça change, maintenant! Tant qu'elle vivait encore...

— Dax, je n'ai pas eu le temps de...

— Cessez donc de vous torturer.

— Malheureusement, ce n'est pas aussi simple que de tourner un bouton.

— Dans ce cas, laissez-moi vous aider.

— Comment?

— Essayons ceci...

Dans l'obscurité, il inclina la tête, et ses lèvres rencontrèrent celles de la jeune femme blottie contre lui. Son baiser fut très doux, pareil à une caresse.

— Restez avec moi, murmura-t-il.

Puis il prit tout son temps, frôlant ses lèvres jusqu'à ce qu'elles perdent leur rigidité et s'entrouvrent sous les siennes, jusqu'à ce qu'Amber pousse un soupir de bien-être, jusqu'à ce que sa peur soit étouffée par les sensations nouvelles qu'il éveillait en elle.

Alors, ne pensant plus qu'au plaisir de sentir ce corps chaud et puissant contre le sien, elle répondit à son baiser. Etait-ce un simple besoin de réconfort ou un désir venu des profondeurs de son être? Quelle importance? Leurs langues se rencontrèrent, et plus rien n'exista que la tiédeur de cette bouche explorant sa bouche, que ce corps souple, fort et brûlant de désir, dont le poids sur elle la comblait de bonheur. Elle était libre comme jamais elle ne l'avait été; elle vivait plus intensément qu'elle n'avait jamais vécu. Sa poitrine se dilata, sa respiration s'accéléra. Comme si la nature se vengeait d'avoir été refoulée pendant tant d'années.

Un nouveau craquement sourd la fit tressaillir.

— Ne faites pas attention. Restez avec moi, souvenez-vous, souffla Dax contre ses lèvres.

Et, tandis que le monde s'écroulait autour d'eux, il était près d'elle, exigeant son attention, la tirant du gouffre de terreur dans lequel elle se sentait plonger.

— Ecoutez votre cœur, murmura-t-il en pressant ses lèvres contre sa tempe. Ecoutez le souffle de nos respirations... Vous l'entendez? demanda-t-il, l'obligeant ainsi à se concentrer sur ses sensations afin de l'arracher à sa peur.

Et quand Amber sentit sa bouche sur sa peau, et sa virilité sans équivoque contre son ventre, la montée impérieuse du désir effaça en elle toute notion de temps et de lieu.

— Pensez à mes caresses. Ecoutez votre corps. Ecoutez le mien...

Oh oui, oui, elle l'entendait, à présent. Il n'y avait plus que son cœur qui cognait dans sa poitrine, et la respiration lourde et saccadée de son compagnon. Jamais elle n'aurait imaginé détenir un tel pouvoir sur un homme ni ressentir un tel sentiment de joie et de puissance. Elle voulait tout et plus encore.

— Aidez-moi à oublier que nous allons...

Mourir, aurait-elle dit si la bouche de Dax ne s'était emparée de ses lèvres avec avidité.

Son baiser se fit dévorant, tout à la fois tendre et brutal, tandis que ses mains découvraient les courbes douces de son corps, caressaient ses seins, s'aventuraient dans des régions plus intimes, attisant son désir, allumant des brasiers dont elle n'avait jamais soupçonné l'existence. C'était comme si les sensations qu'elle avait refoulées jusqu'à ce jour revenaient en force, comme si son corps exigeait qu'elle vive.

Alors, instinctivement, Amber creusa les reins pour se serrer davantage contre l'homme qui lui faisait oublier ses terreurs. Celles d'hier et celle d'aujourd'hui.

Quand il entra en elle, elle s'arc-bouta contre lui, partageant sa fièvre, sa passion. La respiration rauque et haletante de son amant faisait écho aux furieux battements de son propre cœur, et une ardeur violente et folle les emportait tous les deux dans un autre monde.

— Amber... laisse-toi aller ! Suis-moi, murmura Dax.

Alors, la jeune femme se laissa submerger par la vague de plaisir. Elle s'entendit crier. Et soudain, ce fut si violent qu'elle n'eut plus la force que de laisser aller sa tête en arrière et de succomber à l'intensité du plaisir qui venait de la terrasser.

Puis tout s'apaisa. Petit à petit, ils reprirent leurs esprits.

— Ça va ? murmura Dax.

Désorientée, bouleversée par la violence de ses émotions, Amber ne répondit pas tout de suite. Elle réfléchit un instant. Puis, avec un sourire que son compagnon ne pouvait voir, elle chuchota :

— Très bien.

En effet, aussi étrange que cela pût paraître, elle se sentait merveilleusement bien... Mieux qu'elle ne l'avait jamais été.

Quelques minutes plus tard, épuisés, rassasiés, ils cédèrent à la fatigue et s'assoupirent dans les bras l'un de l'autre.

— Vous vivez seul ?

A la seconde où elle posait la question, Amber se crispa, furieuse contre elle-même. C'était ridicule. Il n'était pourtant pas dans ses habitudes de parler à tort et à travers.

— Je voulais simplement dire...

— Je crois que j'ai compris, assura Dax avec un petit rire. Et la réponse est non, je ne suis pas marié. Autrement, je ne me serais pas permis de faire l'amour avec vous.

Amber se raidit davantage. Seigneur, ils avaient fait l'amour ! Et, par-dessus le marché, ils avaient survécu à deux nouvelles secousses.

A présent, ils étaient assis l'un à côté de l'autre sous le bureau.

— Ce n'est pas que je sois contre le mariage, poursuivit Dax. Mais, voyez-vous, je suis issu d'une famille nombreuse. Trois sœurs qui mettent leur nez partout. Sept neveux et nièces. Des tonnes de couches-culottes, du bazar par-dessus la tête et des dîners de famille très animés.

Ayant toujours vécu seule avec son père, Amber avait du mal à imaginer l'existence telle que son compagnon la décrivait. Cependant, famille ou pas, elle pouvait comprendre qu'il eût besoin de solitude et qu'il ne fût pas pressé de s'engager dans une vie de couple. Elle-même était seule la plupart du temps, et cela lui convenait parfaitement. Elle exerçait un métier passionnant, possédait un appartement, et n'aurait certainement pas supporté de laisser qui que ce fût diriger sa vie. De ce côté-là, elle avait assez donné ! D'abord avec son père — maniaque au point de vouloir la façonner à son image —, ensuite avec son ex-fiancé.

La leçon avait été cruelle, et elle n'était pas près de refaire la même erreur. Plus jamais !

— Je penserai peut-être à me fixer d'ici une vingtaine d'années, dit Dax sur le ton de la plaisanterie. Du moins... je l'espère.

Si je survis, avait-il failli ajouter. Mais il n'avait nul besoin de prononcer ces mots : ils planaient entre eux.

— Les gens qui m'attendent doivent se faire un sang d'encre, reprit-il avec un soupir las.

Au son de sa voix, Amber devina l'amour absolu que cet homme portait à sa famille. Et elle ne put s'empêcher de se demander quel effet ça pouvait bien faire de se savoir aimé de la sorte.

— Et vous ? demanda-t-il soudain. Il y a bien quelqu'un qui s'inquiète de votre absence !

La jeune femme ouvrit la bouche, mais la referma aussitôt.

— Quoi ? C'est une question trop personnelle ? demanda Dax en souriant. Que peut-il exister de plus intime que ce que nous venons de faire ? Allez, dites-moi le nom de l'heureux élu.

— Personne.

— Personne quoi ?

— Il n'y a... personne.

Pendant quelques secondes, Dax ne pipa mot.

— J'ai du mal à croire qu'une fille comme vous n'ait personne dans sa vie, dit-il finalement.

Amber tressaillit. La façon dont il avait dit « une fille comme vous » l'avait surprise. Cette voix masculine contenait de la tendresse et... oui, de l'admiration.

Dans d'autres circonstances, ça l'aurait sans doute fait sourire, car la vérité, c'est qu'elle n'était qu'une gourde — du moins c'est ce qu'elle avait été jusqu'au jour où elle avait fui la maison paternelle, jusqu'au jour où elle avait décidé de changer d'image. Depuis lors, elle donnait au monde entier l'apparence d'une femme élégante, raffinée, sûre d'elle-même. Tout le contraire de la véritable Amber Riggs. Et, visiblement, McCall s'y était laissé prendre.

— Amber... Vous êtes fâchée ?

La voix inquiète de Dax la tira de ses pensées amères.

— Comment se fait-il que vous ne vous soyez pas rendu

compte que je n'avais pas eu d'amants depuis un bout de temps? murmura-t-elle, le menton posé sur ses genoux.

Malgré les ténèbres, elle pouvait sentir le regard de Dax posé sur elle. Elle devinait sa curiosité.

— Il n'y a pas de quoi avoir honte, dit-il, presque tendrement.

— J'ai déjà été fiancée, avoua-t-elle. Il y a sept ans. Mais ça n'a pas marché.

Elle se garda bien d'ajouter qu'elle avait découvert, peu de temps avant le mariage, que le fiancé en question avait été choisi par son père, lequel lui avait promis une promotion. En tout cas, cette révélation l'avait anéantie. Bien entendu, les fiançailles avaient été rompues, et le capitaine Riggs en avait fait une maladie. Sa fille unique l'avait irrémédiablement déçu, et il le lui avait clairement fait comprendre.

Après cela, Amber s'était endurcie. Ses émotions avaient cessé de la consumer. Pas d'attache, pas de sentiment, pas de déception, pas de chagrin : telle était sa devise.

— Dommage que ça n'ait pas marché, conclut Dax.

Dans l'obscurité, elle sentit sa main qui cherchait la sienne, mais la pitié qu'elle avait perçue dans sa voix la fit reculer.

— Ne vous méprenez pas, murmura-t-il. Je suis désolé que vous ayez souffert, mais pas que vous soyez seule.

Prise au dépourvu, Amber ne sut que dire.

— Il ne faut pas regretter ce qui s'est passé entre nous, reprit Dax.

A ces mots, la jeune femme faillit se jeter à nouveau dans ses bras. Sa voix était si caressante, tout comme ses mains qui avaient su la rassurer et l'emporter dans une bulle de bonheur.

A cette évocation, elle songea brusquement à sa mère. Et, pour la première fois de sa vie, elle se demanda si elle n'avait pas eu tort de la juger aussi durement... comme son père l'avait exigé. Cette pensée la mit atrocement mal à l'aise.

— Amber... Vous regrettez?

Encore un aspect déconcertant de la personnalité de McCall. Il lui interdisait de se cacher... même d'elle-même.

— Je ne regrette rien, murmura-t-elle. C'était merveilleux. Tellement merveilleux que...

Elle s'interrompit un instant, dans l'espoir de retrouver son calme.

— Dax... Je ne veux pas mourir. Pas maintenant.

Les mots étaient sortis malgré elle. Et ils résonnèrent dans le silence oppressant entrecoupé seulement par le bruit de leurs respirations et les grondements sourds des blocs de béton frottant contre les poutrelles d'acier.

— Le plafond semble avoir tenu le coup, dit Dax au bout d'un instant.

Oui, mais ce n'était que partie remise. Aucun mensonge ne pourrait couvrir les craquements sinistres au-dessus de leurs têtes. La moitié des murs de la petite pièce s'étaient effondrés, réduisant considérablement leur espace vital, et le plafond ne tarderait pas à céder sous les tonnes de briques.

Brusquement, Dax se figea.

— Qu'est-ce qu'il y a? demanda Amber.

— Chut... Ecoutez!

Ils retinrent leur respiration.

— Amber, vous entendez?

Sans attendre sa réponse, Dax sortit la tête de leur abri improvisé, se cogna durement, jura, s'excusa, puis se mit à ramper.

— Que faites-vous? s'exclama Amber, l'estomac noué par la peur.

McCall était-il devenu fou? Un bloc de pierre pouvait le tuer à tout moment.

Et elle serait de nouveau seule... seule, même dans la mort.

— Ils sont là-haut! s'écria Dax. Ils nous cherchent!

Alors, elle les entendit. Elle entendit les appels des

équipes de secours, et un sentiment de joie pur et intense lui fit venir les larmes aux yeux.

Elle allait vivre. Le ciel lui offrait une seconde chance. Et, cette fois, grâce à Dax McCall, elle allait en profiter.

Il ne fallut pas moins de deux heures aux secouristes pour les extirper des ruines de l'entrepôt.

Immobile près de sa voiture, Amber cligna des yeux comme une taupe surprise par le lever du soleil. Difficile de croire qu'ils fussent sortis vivants de ces décombres, songea-t-elle, étourdie par la lumière, la poussière et le bruit. Elle avait l'impression d'une seconde naissance.

Lentement, elle tourna la tête vers le petit groupe de policiers et de pompiers qui entouraient celui qui avait bousculé l'ordre établi de son existence. Fascinée, elle contempla l'inspecteur McCall.

Il était grand et mince, tout en muscles, bâti comme un athlète. Et, malgré la poussière qui noircissait ses cheveux et son visage, il lui parut extraordinairement beau. Elle se surprit à l'admirer comme s'il était un héros... *son* héros.

« Ca suffit, Amber Riggs ! » se dit-elle soudain dans un sursaut d'énergie. Elle n'était plus une gamine, et la vie ne ressemblait pas à ce qui se passait au cinéma. Dax McCall était un homme comme les autres. Quant à elle, elle n'avait certainement pas besoin d'un héros — même s'il était le garçon le plus séduisant, le plus gentil, le plus sexy qu'elle eût jamais rencontré.

Et pourtant... Elle restait plantée là, incapable de détourner les yeux de celui qui, sans le savoir, l'avait fait basculer dans un autre monde. Elle s'autorisait encore quelques instants de rêve, quelques instants de pur bonheur.

Il ne comptait pas fonder une famille avant une vingtaine d'années, lui avait-il dit. Elle ferait bien de s'en souvenir. Comme elle se souviendrait toujours de la façon dont il l'avait serrée contre lui, caressée, embrassée...

Malheureusement, ces moments magiques appartenaient déjà au passé, et le bel inspecteur McCall n'était certainement pas du genre à se cramponner à une fille comme elle. En fait, il était peut-être même en train de se demander comment la laisser tomber gentiment. Alors, vraiment, la seule chose à faire était de le remercier et de rentrer chez elle.

Mais il était très difficile de l'approcher. Les secouristes qui l'entouraient ne semblaient pas vouloir s'écarter pour laisser à la jeune femme un instant de tête-à-tête avec l'homme qui avait partagé les moments les plus intenses de son existence. Aussi se résigna-t-elle à attendre.

La Californie du Sud avait retrouvé sa tranquillité. L'air semblait à nouveau vibrer de fraîcheur, les arbres frémissaient sous la brise marine, le ciel était d'un bleu lumineux. Pourtant, ce n'était pas un jour comme les autres...

Et puis, soudain, pour une raison incompréhensible, Amber se sentit oppressée — plus oppressée qu'elle ne l'avait été sous les décombres. Elle était subitement incapable de rester une seconde de plus.

Précipitamment, elle ouvrit la portière de sa voiture, et s'installa au volant, en s'efforçant d'ignorer la petite voix intérieure qui lui soufflait de regarder la vérité en face. Car, sous sa façade froide et sereine se cachait ce qu'elle était réellement : une petite fille malheureuse, assoiffée de tendresse et d'amour.

Et quand elle appuya sur l'accélérateur, c'était cette petite fille qui se sauvait.

4.

Un an plus tard

Dax McCall escortait sa sœur vers l'aile sud de l'hôpital qui abritait le service d'obstétrique.

Suzette trébucha, mettant les nerfs de son frère cadet à rude épreuve. Forcément, elle allait finir par tomber et écraser le futur bébé dans sa chute ! songeait Dax en la retenant fermement par le bras.

— Fais donc attention ! lui dit-il doucement.

— C'est normal que je trébuche : je ne vois même pas le bout de mes pieds ! répliqua gaiement Suzette. Oh, et puis ne fais pas cette tête-là ! L'accouchement n'est pas pour tout de suite.

— J'aimerais bien en être sûr, marmonna Dax en jetant un coup d'œil circonspect au ventre proéminent de sa sœur.

Une seule fois au cours de sa carrière de pompier, il avait aidé une jeune femme à accoucher sans l'assistance de l'équipe médicale malencontreusement bloquée dans un embouteillage. L'expérience avait été fabuleuse, stupéfiante et... tout simplement terrifiante.

— Oh, relax ! lança Suzette. Je me sens en pleine forme.

— Impossible d'être relax avec toi, affirma Dax en ronchonnant.

— Puisque je te dis que je vais bien ! répliqua Suzette. A part une contraction toutes les deux minutes.

Là, ce fut Dax qui trébucha, provoquant les éclats de rire de sa sœur.

— Je t'adore, petit frère, lui dit-elle tendrement.

Elle le regardait en souriant, ses immenses yeux bleus — les yeux des McCall — noyés de larmes. Immédiatement, Dax ralentit et fouilla dans ses poches à la recherche d'un mouchoir. Il savait par expérience qu'elle n'allait pas tarder à pleurer comme une Madeleine.

— Bon sang, Suzette !

— Ce n'est rien, je t'assure ! Mais je ne peux pas m'empêcher de penser que nous avons failli te perdre dans ce tremblement de terre.

Comme Dax haussait les épaules, elle se planta face à lui.

— Et arrête de faire celui qui s'en moque ! lança-t-elle avec agacement. Si tu n'avais pas précisé ta position à Shelley, juste avant la secousse, on ne t'aurait sans doute jamais retrouvé !

Voyant que Suzette était sur le point de piquer une crise de nerfs, Dax choisit de dédramatiser.

— Finalement, tout s'est bien terminé, dit-il.

— Peut-être, sauf que des tonnes de béton étaient à deux doigts de vous ensevelir, toi et cette femme !

Cette femme.

Il lui avait fallu pas moins de un an pour réussir à se blinder contre les regrets qui le submergeaient dès qu'il songeait à Amber. Et encore, la douleur revenait à la moindre occasion.

— Que se serait-il passé si les secours n'étaient pas arrivés à temps ? continua Suzette. Tu serais mort ! Mon frère préféré serait mort !

— Je te rappelle que tu n'as pas d'autre frère, Suzie, lui fit remarquer Dax, soucieux de détendre l'atmosphère.

La jeune femme hocha la tête en reniflant.

— Ces hormones, c'est vraiment quelque chose ! ajouta-t-il en lui tendant un mouchoir. T'as pas bientôt fini de pleurer ?

— Non. Ça me fait du bien, bredouilla Suzette.

Une grosse larme roula sur sa joue.

— Merci d'être là, Dax.

— Oh, je file dès qu'Alan sera arrivé pour suivre le cours d'accouchement sans douleur. Pas question de faire le boulot du coach à sa place !

— Ton tour viendra, déclara tendrement Suzette en lui prenant la main pour la poser sur son ventre.

— Rien ne presse, murmura-t-il en écartant les doigts, émerveillé de sentir sous sa main le miracle bouger, grandir, vivre.

— Un jour, une jolie fille te mettra le grappin dessus et te fera oublier le célibat, crois-moi.

Aussitôt, Dax se revit allongé sous cette table, attendant la mort, serrant dans ses bras une jeune femme terrifiée mais si courageuse. Une femme qui ne ressemblait à aucune autre. Une femme dont la force intérieure et la détermination l'avaient profondément ébranlé. Une femme qui l'avait littéralement ensorcelé.

Durant ces instants terribles où ils avaient cru leur dernière heure arrivée, désespérés, paniqués, affamés de désir, ils s'étaient rapprochés dans le noir, et ils avaient fait l'amour avec une passion totale, sans jamais avoir pu se regarder l'un l'autre. Et cela avait été un moment merveilleux, bouleversant, une communion d'une essence particulière.

Le souvenir d'Amber abandonnée dans ses bras ne lui laissait aucun répit. Le tremblement de terre n'avait pas seulement affecté la Californie, il avait aussi affecté son âme. Quoi qu'il pût arriver, désormais, il n'oublierait jamais cette fille.

En revanche, Amber, *elle*, l'avait bel et bien oublié. Elle s'était tout simplement évanouie dans la nature.

Il ne l'avait aperçue en pleine lumière qu'une fraction de seconde. Mais sa silhouette menue, ses cheveux sombres et ses yeux encore plus sombres étaient restés gravés à jamais dans son esprit. Et, bien qu'elle n'appartînt pas au type de filles auxquelles il s'intéressait habituellement, elle lui était apparue comme la plus belle femme qu'il eût jamais rencontrée.

Des jours durant, il l'avait cherchée — tâche hasardeuse quand on ne possède pour tout indice qu'un prénom. Il avait pourtant fini par retrouver sa trace et, un peu plus d'une semaine après le séisme, il s'était présenté un matin au bureau d'Amber Riggs pour s'entendre dire qu'elle était partie en congé longue durée sans laisser d'adresse.

Effroyablement déçu, pour ne pas dire anéanti, Dax s'était engagé dès le lendemain dans le corps des pompiers volontaires du Montana. De retour au bureau, un mois plus tard, il n'avait trouvé pour tout message qu'une carte de remerciements de Mlle Riggs. Une carte tout ce qu'il y avait de plus formel.

Amber était définitivement sortie de sa vie.

Manifestement, elle avait choisi d'oublier les instants magiques qu'ils avaient partagés. Tout compte fait, c'était peut-être mieux ainsi. Entre le boulot, la famille et les soirées entre copains, son existence était déjà bien remplie. Et puis, il n'était pas du style à ressasser le passé...

— Dépêchons-nous d'aller remplir le registre des entrées, Suzette, dit-il en secouant la tête comme pour chasser un mauvais rêve. Il y a un monde fou dans cette maternité. A croire que toutes les femmes de San Diego s'y sont donné rendez-vous !

Amber était en retard. Son réveil n'avait pas sonné, elle avait expédié un client indécis par téléphone et, pour couronner le tout, elle s'était retrouvée bloquée dans un embouteillage.

Décidément, la journée commençait mal.

D'ordinaire, en de telles circonstances, le stress l'aurait assaillie. Un stress qu'elle aurait combattu grâce aux techniques de respiration et de maîtrise de soi. Plus maintenant... Sa vie avait basculé le jour du tremblement de terre et, depuis, Taylor était devenue le centre de son existence.

Sa fille dans les bras, un énorme sac à langer sur l'épaule, la jeune femme se rua dans le hall de l'hôpital. Elle allait être en retard pour la consultation pédiatrique du troisième mois. Difficile de concilier vie professionnelle et maternité. Les journées prenaient souvent l'allure d'un véritable marathon. Mais c'était elle qui avait choisi... Comme elle avait, d'ailleurs, choisi de revenir à San Diego après cette année... comment disait-on ? Sabbatique. Voilà le terme exact. En effet, pour la première fois depuis ses débuts professionnels, Amber s'était octroyé un congé dès le lendemain du séisme. Non pas que sa décision eût été influencée le moins du monde par sa rencontre avec McCall. Non. Ce n'était pas une fuite. Du moins, c'est ce dont elle avait tenté de se persuader au cours des derniers mois.

Seigneur, quelle menteuse !

Un gazouillis la tira de ses réflexions. Elle baissa les yeux sur sa fille, et son cœur bondit de joie, comme chaque fois qu'elle contemplait son adorable petit nez, ses joues rebondies et sa bouche au dessin si parfait.

Les yeux bleus du bébé la fixèrent avec intensité.

— Tu es la plus adorable des petites filles, chuchota Amber. Je t'aime, mon ange.

Taylor agita un poing minuscule comme en signe de victoire, ce qui amena un sourire sur les lèvres de sa maman. Un sourire teinté de tristesse à l'idée que Taylor, tout comme elle, n'avait pas été désirée par son père. Elles avaient cependant la chance d'être ensemble. Et, ensemble, elles survivraient... Ensemble, elles seraient heureuses.

Comme elle attendait l'ascenseur, Amber se demanda

pour la millième fois si Taylor avait hérité des yeux de son papa. Dax McCall avait-il les yeux aussi bleus qu'un ciel de Californie?

C'était terrible de ne garder de lui qu'une image si fugace. Elle avait pourtant essayé de le rencontrer.

La veille de son départ pour le Mexique, moins d'une semaine après le séisme, elle avait pris son courage à deux mains et s'était rendue aux bureaux de la brigade incendie. En dépit de sa gêne au souvenir de leur étreinte, elle s'était enfin décidée à remercier l'homme qui lui avait sauvé la vie. Sans lui, sans son autorité ferme et rassurante, sans la chaleur de ses bras, sans sa voix incroyablement douce, elle n'aurait pas survécu.

La réceptionniste lui avait fort gentiment indiqué une porte entrouverte. Amber s'était avancée. Et là... il lui avait semblé qu'un gouffre s'ouvrait brusquement sous ses pieds. Dax McCall lui tournait le dos. Il n'était pas seul. Il plaisantait avec une jeune femme en tenue de pompier. Tous deux riaient, manifestement complices.

Amber ne savait pas au juste à quoi elle s'était attendue, mais ce n'était certainement pas à cela. Pétrifiée dans l'embrasure de la porte, émue, pleine de désir, elle avait contemplé la scène durant quelques secondes, songeant machinalement qu'elle n'avait jamais rencontré un être aussi lumineux, aussi vibrant, aussi plein de vie... Dax s'était légèrement tourné, et elle l'avait vu de profil pendant un instant. Il paraissait tellement loin d'elle, tellement différent qu'elle avait ravalé ses mots de remerciements et s'était enfuie. Certes, c'était une réaction indigne de la femme de sang-froid qu'elle était, mais cela avait été plus fort que toutes ses bonnes résolutions. Et, pour se faire pardonner sa faiblesse, elle lui avait envoyé un mot de remerciements de l'aéroport, deux minutes avant d'embarquer pour Mexico.

Quelques jours plus tard, en découvrant qu'elle était enceinte, elle avait été de nouveau tentée de joindre Dax McCall. A ce souvenir, elle rougit.

Elle avait appelé son bureau, non pas pour réclamer quoi que ce fût, non... seulement pour lui dire... Il avait le droit de savoir.

A cette époque, il était dans le Montana. Elle avait donc laissé ses coordonnées à une secrétaire peu aimable, visiblement nouvelle dans ses fonctions.

Dax McCall ne l'avait pas rappelée.

Elle avait compris. Il était passé à autre chose.

Pourtant, quel que fût son ressentiment, Amber n'avait pu effacer de son esprit la tendresse et la générosité de l'homme qui lui avait offert un enfant dans un instant de communion totale de leurs corps et de leurs âmes. Et, depuis son retour à San Diego avec Taylor, elle était convaincue d'une chose : elle devait la vérité à McCall. Elle ne pouvait pas continuer à lui cacher qu'il avait une fille. Elle n'en avait pas le droit. Mais comment s'y prendre ?

Les portes de l'ascenseur s'ouvrirent pour laisser passer Amber et son précieux fardeau serré contre elle. Il y avait foule dans le hall d'attente : des femmes jeunes, d'autres moins jeunes, pâles ou rayonnantes de santé, enceintes pour la plupart ou accompagnées d'enfants en bas âge. Avec un soupir résigné, Amber jeta un regard circulaire, à la recherche d'un siège. Dans ses bras, Taylor observait le désordre ambiant en gazouillant.

— Heureusement que ça t'amuse, dit-elle avec un nouveau soupir — de soulagement, cette fois — à la vue d'une chaise qui se libérait juste sous son nez.

Elle s'assit, et laissa son regard errer sur la salle comble. C'est alors qu'à travers la marée humaine, à l'autre bout du hall, elle aperçut un homme. Pas n'importe quel homme... Celui qui avait su percer sa carapace.

Dax McCall.

Elle se sentit défaillir. Seigneur, il regardait droit dans sa direction !

L'espace d'une seconde, elle espéra qu'il ne l'avait pas

reconnue. Après tout, la seule fois où il l'avait vue, elle était couverte de poussière, épuisée et terrorisée. Bref, tout le contraire de ce qu'elle était en temps normal.

Elle n'aurait pas dû parier là-dessus. Il l'avait reconnue.

Que faire ? Se sauver à toutes jambes ? Peu courageux. D'ailleurs, il n'était pas certain que ses jambes pussent la porter. Mentir ? Ce n'était guère mieux. Non seulement parce qu'elle mentait atrocement mal, mais parce qu'elle ne pourrait plus jamais se regarder dans un miroir, après cela.

Tout au fond de son cœur, la honte et le remords livrèrent un furieux combat contre sa panique, et finirent par l'emporter. Elle s'était mise dans une situation difficile. A elle de s'en sortir ! Plus facile à dire qu'à faire, songea Amber en essayant de calmer les battements désordonnés de son cœur sous le regard limpide et pénétrant de Dax McCall. Autour d'eux, la vie suivait son cours. Les femmes papotaient. Des bébés pleuraient — excepté Taylor qui, Dieu merci, était sage comme un cœur.

Prisonnière du regard bleu de Dax, Amber n'entendait plus rien. Il était exactement tel que dans ses rêves — grand, athlétique. Son teint hâlé faisait ressortir la couleur d'aigue-marine de ses yeux et la blondeur de ses cheveux. Il portait un simple T-shirt blanc et un pull gris négligemment jeté sur ses épaules. Une tenue ordinaire pour un homme vraiment pas ordinaire.

La jeune femme inspira profondément, consciente que ses émotions étaient en train de prendre le dessus. Elle ne pouvait s'empêcher de songer qu'elle avait caressé chaque centimètre de ce corps magnifique, et ça, ça ne l'aidait pas à retrouver le contrôle d'elle-même, bien au contraire... Elle était à nouveau là-bas, dans ses bras, pantelante de désir. Et si ses souvenirs étaient fidèles, c'était elle qui l'avait supplié de... de lui faire l'amour.

Dieu merci, il ne pouvait pas deviner ses pensées.

Toujours immobile, il se contentait de la dévisager en silence, indifférent au reste du monde, indifférent aux regards admiratifs des femmes posés sur lui.

46

Affreusement gênée, les jambes en coton, Amber lui adressa un sourire timide. En réalité, elle mourait d'envie de se jeter à son cou. Sans doute était-ce le contrecoup du choc qu'elle avait subi un an plus tôt, se dit-elle pour minimiser l'importance de son émotion. Après tout, pendant un moment — un moment extrêmement intense —, cet homme était devenu le centre de son univers.

Lentement, il s'avança vers elle. Elle retint sa respiration.

Contre toute attente, il s'accroupit à côté de sa chaise, et contempla avec un respect mêlé d'admiration l'adorable frimousse de Taylor.

— C'est la vôtre ? demanda-t-il.

Au seul son de cette voix grave, profonde et tellement sexy, Amber sentit son cœur s'affoler. Elle ferma les yeux, bouleversée par l'image de cet homme si beau, agenouillé près de son enfant. *Son* enfant. Mon Dieu, ça n'aurait pas dû se passer ainsi !

La bouche sèche, elle n'entendait plus que les battements de son cœur.

Comment lui expliquer ? Comment lui faire comprendre ?

Bon sang, pourquoi n'avait-elle pas eu le courage de le rappeler ? D'accord, la secrétaire n'avait pas été accueillante, mais tout de même... Et s'il n'avait pas eu le message ?... Comment avait-elle pu laisser ses peurs prendre le pas sur le simple bon sens ? Et comment pouvait-elle le désirer encore autant, au point d'en éprouver une souffrance presque physique ?

— Quel âge a-t-elle ?

— Trois mois. Dax...

— Vous vous souvenez de mon nom ? dit-il avec un sourire sans joie. C'est drôle, j'aurais parié le contraire.

Amber sentit le rouge de la honte lui monter au visage. Pas question de se laisser, une fois de plus !

— Je ne l'oublierai jamais, répliqua-t-elle d'une voix calme.

— Je ne vous crois pas, sinon vous auriez donné signe de vie.

— C'est aussi valable pour vous.

— Vous pensez que je n'ai pas essayé de vous retrouver?

Il guettait sa réaction. Amber frissonna imperceptiblement.

— Moi aussi, j'ai essayé, dit-elle avec un aplomb qui s'évanouit presque aussitôt devant l'expression soudain suspicieuse de Dax McCall.

— Trois mois, dit-il lentement. Cette enfant a trois mois...

Puis, baissant les yeux sur Taylor, il acheva dans un souffle :

— Se pourrait-il... que ce soit la mienne?

Le doute, la douleur dans sa voix étaient tcls qu'Amber se sentit envahie par le remords.

— Dax...

— C'est donc ma fille..., souffla-t-il.

Il s'interrompit, et ferma les yeux l'espace d'une seconde.

— Pourquoi ne m'avez-vous rien dit? demanda-t-il brusquement entre ses dents serrées. Vous ai-je donc forcée? N'étiez-vous pas consentante? Aviez-vous besoin de vous venger?

— Non, répondit Amber.

La souffrance de cet homme agenouillé près d'elle la transperçait comme un coup de poignard. Elle ne savait plus que faire ni que penser. Où était donc passée sa parfaite maîtrise d'elle-même, cette discipline de fer qui lui permettait de tenir les sentiments à distance? Détenait-elle donc le pouvoir de faire souffrir un homme à ce point? Son père s'était toujours montré si impassible, totalement inébranlable. Et Roy, son ex-fiancé, s'était révélé tout aussi imperméable émotionnellement. Même si elle l'avait voulu, elle n'aurait jamais pu les blesser ni les faire réagir d'aucune manière.

Il n'y avait eu aucun autre homme dans sa vie jusqu'à ce que Dax y fît irruption. Et, comme il ne l'avait pas rappelée, elle s'était imaginé qu'il était fait sur le même moule que son père. Grave erreur. Elle aurait dû deviner qu'un être capable de se montrer aussi généreux, aussi passionné dans les moments dramatiques était forcément tout le contraire d'un iceberg. *Lui* était capable d'extérioriser ses émotions, et c'était en cela qu'il l'avait fascinée... Mais, à présent, il lui faisait peur.

Il n'avait pas bougé. Ses yeux bleu pâle comme un cristal de quartz restaient fixés sur le bébé, et reflétaient une admiration mêlée d'une profonde tristesse.

La gorge serrée, Amber ne put s'empêcher de noter leur ressemblance. Taylor était l'exacte réplique de son père.

Mais la ressemblance physique n'était rien comparée à la façon intense et bouleversante dont le père et la fille se dévisageaient.

— Comment s'appelle-t-elle ?

— Dax...

— Son nom, Amber.

— Taylor Anne.

— Le nom de *famille*.

Amber hésita, à peine une seconde, mais ce fut suffisant pour agacer Dax. La mâchoire crispée, il insista d'une voix qui avait perdu toute chaleur.

— Il me semble que c'est une question relativement simple.

— Elle porte mon nom. Taylor Anne Riggs, répondit Amber en s'efforçant de garder son calme. Votre nom figure également sur son certificat de naissance.

Alors, Dax releva les yeux sur la jeune femme, des yeux bleus, tranchants comme des éclats de glace, brillants de colère.

— J'en ai une copie pour vous, ajouta-t-elle sottement, trop bouleversée pour réfléchir.

— Vous ne niez donc pas que je sois son père?

— Non, répondit Amber d'une voix tremblante, les yeux pleins de larmes qu'elle ne voulait à aucun prix laisser échapper. C'est votre fille, Dax.

5.

— Bon sang ! Pourquoi ne m'avez-vous pas prévenu ?

Son regard de glace s'adoucit un peu quand Taylor se mit à gazouiller en agitant ses petits poings.

— Quand j'ai téléphoné à votre bureau, vous étiez absent, expliqua Amber d'une voix qu'elle s'efforçait d'affermir.

Dax poussa un juron, et passa une main nerveuse dans ses cheveux blonds.

— Et il ne vous est pas venu à l'idée que cela méritait peut-être un second coup de fil ?

— J'ai laissé un message.

Les yeux bleus de Dax l'épinglèrent sans pitié.

— Je ne vous aurais jamais crue aussi mesquine, Amber. Non, vraiment !

— Vous semblez oublier un point de détail, Dax : la paternité n'entrait pas dans vos priorités. Vous m'avez même confié que vous ne souhaitiez pas vous fixer avant une bonne vingtaine...

Dax lui coupa la parole :

— Mais vous ne savez rien de moi ! Absolument rien !

Sous son regard incrédule et blessé, Amber ne put s'empêcher de sentir le poids de la culpabilité sur ses épaules. Elle baissa les yeux.

— Désolée, marmonna-t-elle. J'aurais dû vous rappeler. Je comptais le faire, mais je viens juste de rentrer, et...

Et elle avait laissé ses peurs prendre le dessus !

— Dire que je vous ai cherchée partout, dit Dax avec un rire bref et plein d'amertume. Où étiez-vous ?

— Au Mexique.

— Seule ?

Amber acquiesça d'un signe de tête.

Dax détourna les yeux, et effleura d'une caresse la joue satinée du bébé.

— Et votre famille ? demanda-t-il brusquement. Vous l'avez prévenue ?

Sa famille ! Amber inspira brusquement. A l'annonce de sa grossesse, le capitaine Riggs lui avait clairement fait comprendre qu'elle ne valait guère mieux que sa mère et que, par conséquent, il ne voulait plus jamais entendre parler d'elle. Quelques paroles cinglantes, et il l'avait définitivement rayée de son existence. La blessure et la honte étaient telles qu'Amber opta pour une réponse évasive.

— Ma famille n'aurait pas été d'un grand secours.

— Vraiment ? Raison de plus pour me prévenir. J'aurais été là. Pour vous, pour Taylor. Pour *moi* !

— J'ai pensé que...

— Qui vous a autorisé à décider pour les autres ? Quoi que vous ayez pu penser, vous n'aviez pas le droit de décider à ma place.

Dax n'avait pas élevé la voix, mais son ton était si sévère qu'Amber eut un léger mouvement de recul.

— Vous m'avez trompé, poursuivit-il. Et vous avez aussi trompé votre fille.

Envahie par la honte, bourrelée de remords, Amber était incapable de prononcer un seul mot.

— Hum... Dax ?

En entendant la voix de Suzette, Dax se raidit. Il prit une profonde inspiration et se redressa lentement pour faire face à sa sœur qui les observait, l'air gêné.

Il déglutit nerveusement et lui adressa un sourire contraint.

— Ça ne va pas, Dax ? lui demanda la jeune femme.

— Tout va bien.

— Non. Je vois bien que...

— Suzie !

Quelque chose dans sa voix exhortait Suzette à la prudence, alors elle n'insista pas et se contenta de dévisager Amber avec une curiosité à peine dissimulée.

— Je m'appelle Suzette, lui dit-elle avec un sourire charmant.

Machinalement, Amber serra la main qu'elle lui tendait, tout en s'étonnant elle-même d'être capable d'afficher un tel calme alors que tout son corps tremblait.

Dax allait-il être de nouveau papa ? Quel cauchemar ! Que n'aurait-elle donné pour ne pas avoir à subir cette épreuve !

— Suzette, je te présente Amber Riggs, dit Dax.

— Oh, vous êtes l'une de ses amies ?

— Eh bien...

Horriblement embarrassée, Amber laissa sa phrase en suspens, et jeta un coup d'œil sur McCall. Aucun secours à attendre de ce côté-là. Il se contentait de l'observer, le visage impénétrable.

D'accord, d'accord. Elle était tout à fait capable de gérer ce genre de situation.

— Il y a un bout de temps que nous ne nous étions pas vus. Depuis...

Dax haussa les sourcils d'un air ironique.

— ... Un an, termina-t-elle.

— C'est fantastique de se retrouver après tout ce temps ! s'écria Suzette. Surtout dans un endroit pareil ! Comme c'est amusant !

Follement ! ajouta Amber pour elle-même.

Taylor choisit ce moment pour faire savoir à tout le monde que la faim commençait à tirailler son petit estomac. Elle recracha vigoureusement la sucette que sa maman lui offrait pour tenter de l'apaiser.

— Laissez-moi faire, proposa Dax avec un regard de défi.

N'ayant pas le choix, Amber lui tendit le bébé rouge de colère.

— Qu'y a-t-il, mon cœur? chuchota Dax en berçant doucement la fillette.

Elle est à moi! voulut crier Amber. Mais elle se contint, bouleversée par l'image de cet homme magnifique tenant son enfant dans ses bras avec un mélange de fierté et d'incrédulité.

— Elle a faim. J'ai un biberon.

— Vous ne l'allaitez pas?

— Bien sûr que si! répondit vivement Amber en rougissant comme une tomate.

Et, pour ajouter à sa gêne, son corps réagit de façon coupable sous le regard bleu de Dax.

— A l'extérieur, je préfère lui donner le biberon, précisa-t-elle.

— Je comprends.

Rassuré, Dax reporta de nouveau toute son attention sur l'enfant qui gigotait dans ses bras.

Suzette sursauta en entendant son nom crié dans le haut-parleur.

— Oh, c'est à moi!

— Tiens, voilà Alan, dit Dax en saluant de la tête un homme d'une trentaine d'années qui sortait de l'ascenseur. Il te raccompagnera à la maison.

— Mais...

— A plus tard, coupa Dax en embrassant la jolie blonde sur la joue.

— Mais, Dax...

— Vas-y, tu es déjà en retard! On se verra ce soir.

Avec un soupir de frustration, Suzette s'avança vers le cabinet de consultation. Toutefois, le regard qu'elle lança à

Dax ne laissait planer aucun doute quant à ses sentiments. Elle exigeait des réponses.

Amber se demanda si elle les obtiendrait.

— Charmante, dit-elle distraitement. Quand doit-elle accoucher?

— Dans trois semaines, répondit Dax sans quitter sa fille des yeux.

Taylor s'agrippait à lui comme une sangsue, et ne cessait de lui sourire. Instinctivement, Amber ressentit l'aiguillon de la jalousie. Soit McCall avait vraiment le chic avec les bébés, soit Taylor était accro à son after-shave.

— Vous n'accompagnez pas Suzette? demanda-t-elle négligemment.

— Elle n'a pas besoin de moi, répondit Dax en jetant un coup d'œil à la silhouette vacillante de sa sœur qui se dirigeait vers la salle d'examen.

— Oh, je vois. Vous n'êtes là que pour la bagatelle. Pour le reste, à elle de se débrouiller!

Dax ouvrit la bouche, puis changea d'avis et la referma. En dépit de son exaspération manifeste, il eut un petit rire incrédule.

— Rassurez-moi! Vous ne croyez tout de même pas que le bébé de Suzette est le mien?

Relevant le menton avec défi, Amber lui adressa un regard qui, d'ordinaire, avait l'art d'intimider ses interlocuteurs et de leur donner envie de s'enfoncer six pieds sous terre.

Dax ne s'en émut pas pour autant.

— Seigneur, c'est donc ça! s'écria-t-il. Vous me croyez en ménage avec Suzette?

— Je ne sais pas ce que je dois croire.

— Mais si, c'est ce que vous croyez! Seulement, vous êtes trop coincée pour poser tout simplement la question.

Amber lui lança un nouveau regard glacial.

— Suzette est ma sœur. Et Alan est son mari, précisa Dax avec un hochement de tête amusé.

« Difficile de rester digne quand on se comporte comme une gourde », songea la jeune femme.

— Oh! dit-elle

— Oui, *oh*! répéta Dax d'un air moqueur.

Impulsivement, il se pencha vers Amber, suffisamment près pour que son parfum masculin fît ressurgir chez elle des images qu'elle aurait préféré enterrer au plus profond de son esprit.

— La *bagatelle*? Alors, c'est comme ça que vous voyez les choses?

Déstabilisée par la question, Amber ne répondit pas. Au prix d'un énorme effort, elle soutint son regard imperturbable sans pouvoir s'empêcher de rougir.

— Pour ma part, je dois reconnaître que c'était tout à fait plaisant, reprit Dax.

Ostensiblement, ses yeux glissèrent sur la bouche au dessin parfait de la jeune femme.

— Mais je crois aussi me rappeler que nous avons partagé bien plus qu'un simple moment de plaisir. Si j'osais, je dirais même que c'était passionné.

Amber avala sa salive nerveusement. Le feu que cet homme diabolique avait fait naître dans son ventre et dans ses reins, ne voulait pas s'éteindre.

— Arrêtez! souffla-t-elle.

— Vous pouvez vous vanter d'avoir alimenté mes fantasmes pendant des semaines! poursuivit Dax sur le même ton suave. La façon dont vous avez crié mon nom... Vous vous souvenez? Et vos gémissements quand vous...

— Ça suffit!

Amber avait élevé la voix.

Un léger sourire aux lèvres, Dax se redressa lentement.

— Vous avez raison. Ce n'est pas un sujet de plaisanterie.

Tout en parlant, il nicha la petite tête de Taylor sous son menton, et serra le bébé contre lui.

— Laissez-moi vous rafraîchir la mémoire sur un point,

dit-il d'une voix sèche qui contrastait avec la douceur de ses gestes envers l'enfant blotti dans ses bras. Je vous ai dit que j'étais célibataire. Sachez que je le suis toujours !

Trop éberluée pour répondre quoi que ce soit, Amber retint sa respiration.

— Je tiens également à préciser un autre point, reprit Dax. Si la paternité n'était pas dans mes priorités du moment, cela ne signifiait pas pour autant que je l'aurais refusée. Ne vous en déplaise, mademoiselle Riggs, j'ai le sens des responsabilités.

Il marqua une pause, puis reprit sur un ton cinglant :

— Je me demande bien pourquoi je prends la peine de vous expliquer tout ça. De toute façon, vous vous en moquez complètement.

Luttant pour remettre ses idées en ordre, Amber chercha en vain une réplique. Tout ce qui lui venait à l'esprit était inutile ou insignifiant. Elle choisit donc de laisser passer l'orage — comme elle l'avait fait si souvent face à son père —, et baissa les yeux, soucieuse de ne pas provoquer une scène devant tout le monde.

De son côté, lasse d'attendre son repas qui ne venait pas, Taylor poussa un cri de protestation, puis saisit une poignée de cheveux qui se trouvait à sa portée, et tira vigoureusement. Avec une grimace de douleur, Dax tenta de desserrer les doigts minuscules du bébé. Sans succès.

— Elle me tire les cheveux ! dit-il impuissant.

Bien fait! se dit Amber. Mais, quand il grimaça une seconde fois, elle eut pitié de lui. Elle se leva et s'approcha.

— Laissez-moi faire, dit-elle avec un soupir.

Ses mains fines et soignées frôlèrent celles de McCall, des mains fortes et tannées par le soleil. Amber ressentit ce contact comme une vibration, un courant électrique qui lui parcourut tout le corps. Et, à la façon dont Dax se raidit, Amber sut qu'il avait éprouvé le même choc.

Un instant, ils se regardèrent sans bouger, d'un air figé.

Jusqu'à ce jour, Amber avait réussi à se convaincre que l'attirance subite qu'elle avait éprouvée pour cet homme pendant le tremblement de terre n'était que le fruit de sa peur à l'idée d'une mort toute proche. Mais là, maintenant... la réalité était tout autre. Sa vie n'était pas en danger, et pourtant, elle ressentait toujours cette irrésistible attirance, cette même fièvre.

Heureusement pour elle, Taylor faisait diversion. Il était, en effet, bien plus facile de s'occuper de sa menotte effrontée que d'affronter le regard perçant de Dax. Le problème, c'est qu'elle était un petit peu trop près de lui et que le seul contact de ses cheveux sous ses doigts lui ôtait toute faculté de penser et l'empêchait de conserver son sang-froid.

— Alors, êtes-vous prête à me confier ce qui vous fait rougir ? demanda Dax tout à coup.

La jeune femme s'écarta un peu trop précipitamment.

— Je ne vois pas de quoi vous voulez parler, dit-elle en s'efforçant de réprimer le tremblement de sa voix.

— Poule mouillée ! chuchota Dax avec un sourire moqueur.

Furieuse contre elle-même et contre cet homme qui prenait un malin plaisir à la pousser dans ses retranchements, Amber eut envie de lui lancer ses quatre vérités à la figure, mais elle se rendit compte au même moment qu'il n'était guère plus paisible qu'elle.

Par chance, on appelait justement Taylor Riggs pour sa consultation.

— Je dois y aller, dit Amber en tendant les bras pour récupérer sa fille.

Ostensiblement, Dax serra la petite contre lui.

— Je vous accompagne, déclara-t-il, avec, dans le regard, la lueur d'obstination du soldat qui se prépare à la bataille.

« *Inutile de sortir les armes* », protesta silencieusement Amber. Elle n'avait absolument pas l'intention de le priver de son enfant, pas plus qu'elle n'avait eu l'intention de le blesser.

— Ensuite, nous trouverons un endroit tranquille pour mettre les choses au point, ajouta-t-il sèchement.

Et là, son ton cassant — un ton qui n'admettait aucun refus — suffit à balayer toutes les bonnes résolutions de la jeune femme. Les mauvais souvenirs resurgirent en force du fond de sa mémoire. Chaque parole de son père était un ordre. Lui seul savait. Lui seul décidait. Et, pendant des années, elle avait obéi. Elle s'était soumise à sa volonté, piétinant son amour-propre et ses désirs. Mais elle avait aussi espéré, lutté pour que les choses changent, et elle avait finalement réussi. Alors, pas question de laisser un homme, fût-il le père de son enfant, s'immiscer dans son existence et s'en rendre maître.

— Mettre les choses au point ? répéta-t-elle posément.

Allait-il essayer de lui enlever Taylor ? Allait-il prétendre devant les tribunaux qu'elle était une mauvaise mère, exactement comme sa propre mère l'avait été ?

— Que voulez-vous dire par là ? demanda-t-elle d'une voix égale.

— Je veux dire tout simplement que cette affaire est loin d'être réglée.

— Mais...

— Taylor Riggs est attendue à la consultation pédiatrique ! répéta la secrétaire avec impatience.

Alors, sans un regard pour Amber, Dax pivota sur les talons et s'avança vers l'infirmière qui les attendait.

Le trajet jusque chez Amber — un luxueux duplex dans un immeuble résidentiel dominant la baie de San Diego — se déroula dans un silence pesant. L'esprit submergé par une foule d'émotions, Dax se sentait incapable de prononcer une parole.

Il était père... père d'une adorable fillette.

Et puis, surtout, il y avait Amber. Ses traits étaient confondants de beauté. L'arête du nez, l'arrondi du menton, la finesse des sourcils formaient un miracle de proportions et d'harmonie. Quant à ses yeux... ils révélaient sa vie intérieure Des yeux sombres, immenses, hantés par d'obscurs secrets. Amber était tout simplement fascinante. Plus séduisante que toutes les femmes qu'il avait connues jusqu'ici.

Pas étonnant que sa fille fût le plus beau bébé du monde. Durant la consultation, il avait eu le loisir d'admirer Taylor. Il s'était extasié sur ses petits bras potelés, son petit ventre rebondi. Captivé, il avait souri devant sa frimousse plissée de colère quand l'infirmière l'avait déshabillée.

Manifestement, Taylor n'avait pas hérité du calme olympien de sa jolie maman, avait-il constaté avec amusement. Cette petite était une vraie McCall : elle manifestait bruyamment son indignation, saisissant tout ce qui bougeait à portée de ses menottes.

Et dire qu'il était le père de cette petite merveille ! Il n'en revenait pas. A vrai dire, il ne savait trop s'il devait rire ou pleurer. Les deux, peut-être.

— Excusez-moi, dit-il en passant devant Amber.

Médusée, la jeune femme le regarda s'avancer tranquillement dans le salon, installer Taylor au milieu du canapé, et s'asseoir à côté d'elle.

— Dax ?...

— Je n'arrive pas à croire que je suis papa, marmonnat-il, le regard rivé sur l'adorable bébé qui lui souriait.

— Hum... Oui, dit la jeune femme en réprimant un soupir.

Dax lui jeta un bref coup d'œil. Le temps d'hésitation qu'elle avait marqué avait suffi à lui rappeler qu'elle ne serait certainement jamais venue vers lui de son plein gré. Sans le hasard, il n'aurait jamais connu son enfant. La pilule était plutôt difficile à avaler.

— J'aimerais tout de même comprendre, dit-il.

— Comprendre quoi ?

— Comment avez-vous pu me cacher Taylor ?

La question, ou peut-être la dureté du regard bleu fixé sur elle, poussa subitement Amber à prendre la petite fille dans ses bras pour la serrer contre elle de façon si possessive que Dax en eut la gorge serrée.

Décidément, c'était le monde à l'envers ! songea-t-il. Le voilà qui commençait à s'apitoyer sur cette femme. Nom d'un chien, c'était tout de même lui qui avait été trompé dans l'affaire !

— Mes raisons n'auront certainement aucun sens pour vous, dit Amber en déposant un baiser sur le front du bébé.

— Essayez toujours de m'en donner une.

— D'accord.

A présent qu'elle avait retrouvé tout son sang-froid, sa voix était posée, son regard ferme.

— Ce que nous avons vécu n'était qu'une aventure, une folie passagère. Nous n'avions aucune envie de nous y accrocher, et...

— Parlez pour vous ! lança Dax d'une voix cassante.

Momentanément déstabilisée, Amber cilla, mais réussit, néanmoins, à garder son calme.

— Comme vous voulez. En tout cas, un mois après les événements, pendant mes vacances...

— Des vacances ? Je dirais plutôt que vous avez pris la poudre d'escampette !

— ... j'ai découvert que j'étais enceinte, acheva-t-elle sans le regarder. J'ai appelé votre bureau. J'ai laissé un message mais vous ne m'avez pas rappelée.

— Je n'ai pas eu votre message.

— Désolée. J'aurais sans doute dû réessayer...

Ses mâchoires se crispèrent.

— Très bien. J'avoue n'avoir aucune excuse. J'ai mal agi et je vous en demande pardon. Cependant...

Ses traits exprimèrent soudain une profonde souffrance.

— ... j'ai l'habitude d'être seule, poursuivit-elle dans un souffle. Et il m'a semblé normal d'assumer seule la venue de mon enfant.

Dax baissa les yeux, s'efforçant de concentrer toute son attention sur le bébé. Il aurait préféré ne pas avoir été témoin de la soudaine vulnérabilité d'Amber. Pas question de sombrer dans la sensiblerie et d'oublier qu'il avait toutes les raisons d'en vouloir à cette femme.

— Vous allez devoir en finir avec ça, déclara-t-il sur un ton sarcastique. Je veux dire... avec la solitude.

Amber ne répondit pas. Et, comme elle était extrêmement douée pour masquer ses émotions, Dax n'avait aucune idée de ce qu'elle pouvait bien penser. Tranquillement, elle installa Taylor dans son parc. Ravie, la petite se mit à agiter bras et jambes pour animer le mobile coloré suspendu au-dessus de sa tête.

Sans mot dire, Dax contempla la scène. Les gestes d'Amber étaient trop posés, trop étudiés. Il devinait sans peine qu'elle était, en réalité, tendue comme un arc.

— J'aime la solitude, déclara-t-elle calmement.

— Dommage pour vous.

Amber se raidit mais ne lâcha pas.

Alors, ce fut Dax qui flancha. D'un côté, il en voulait terriblement à la jeune femme ; d'un autre côté, il ne supportait pas de la faire souffrir.

— Ce n'est pas une menace, précisa-t-il d'une voix radoucie. Vous êtes la mère de mon enfant. Nous ne pouvons pas poursuivre nos existences chacun de notre côté comme si rien ne s'était passé.

— Je sais.

Aucune manifestation de nervosité chez cette femme, nota-t-il avec une certaine admiration. Face à lui, le corps bien droit, le visage indéchiffrable, elle attendait.

Qu'attendait-elle, exactement ? Il n'en avait aucune idée. Ses immenses yeux noirs fixés sur lui étaient insondables. De nouveau, il se sentit bouleversé par sa beauté lisse et énigmatique. D'autant plus qu'il connaissait la passion qui brûlait sous cette surface lisse.

— Vous devriez vous asseoir, dit-il.

— Ne faites pas ça !

— Faire quoi ?

Le visage impassible, Amber répondit :

— Tourner autour du pot. Dites ce que vous avez à dire. Vous allez vous battre pour obtenir la garde de Taylor ?

Dax était interloqué.

— Quoi ? Qu'est-ce que vous racontez ?

— Vous allez essayer de me l'enlever, n'est-ce pas ?

Là, ce fut comme un coup de tonnerre dans un ciel sans nuages. Stupéfait, Dax resta figé, et dévisagea la jeune femme comme si elle était une extra-terrestre. Cette fille était tout bonnement incroyable. Plantée au milieu du salon, affichant toujours un calme olympien, elle attendait de voir son monde chavirer.

— Allons, dit-il en secouant la tête comme pour s'éclaircir les idées.

Lentement, il se leva et s'avança vers elle.

— Durant ces dernières heures, ai-je dit quoi que ce soit qui puisse vous laisser penser que mon seul but est de vous enlever Taylor ?

— C'est ce que je ferais si j'étais à votre place.

Toujours ce ton froid et détaché. Dieu, que cette femme était exaspérante ! Soudain, il sentit une douleur sourde au niveau des tempes : c'était la migraine qui s'annonçait. Une migraine liée à une brusque hypertension, songea-t-il avec consternation.

— Vous devez être un drôle de requin en affaires ! répliqua-t-il d'une voix lasse. Vous vous comportez toujours ainsi ?

Elle ne répondit pas, se contentant d'attendre. Etait-elle sereine ou, au contraire, terrorisée ? Dax n'était sûr de rien.

— Ecoutez-moi, championne du self-contrôle ! lança-t-il soudain. Vous avez votre caractère, et moi le mien. Sachez que, pour ma part, je ne vais certainement pas vous traîner devant les tribunaux.

— Mais ? demanda-t-elle avec un sourire qui était tout sauf chaleureux. J'ai eu l'impression d'entendre un *mais* à la fin de votre phrase.

Portant les mains à ses tempes, Dax laissa échapper un soupir exaspéré.

— Mais... Nom d'un chien, je ne sais pas de quoi vous parlez !

Nerveusement, il se tourna vers Taylor. Le bébé cessa aussitôt de s'agiter pour plonger un regard grave dans le sien. Emu, Dax lui sourit. Et, tout aussi subitement qu'elle s'était immobilisée, la fillette se mit à agiter les mains, à pédaler, à babiller. Elle était redevenue un bébé de trois mois qui ne demandait qu'à être câliné.

Alors, incapable de résister, Dax l'enleva dans ses bras et la serra contre lui. Ce faisant, il fronça le nez.

— Elle a probablement besoin d'être changée, suggéra Amber.

— Pas de doute, dit-il en lui tendant le bébé.

Mais, devant la lueur moqueuse qui passait dans le regard sombre de la jeune femme, il se ravisa.

— Je vais le faire, déclara-t-il en resserrant les bras autour de l'enfant.

La petite choisit ce moment pour régurgiter une bonne partie de son biberon sur le T-shirt de son père.

Du coin de l'œil, il vit Amber se mordre la lèvre inférieure comme pour réprimer un sourire moqueur.

— Désirez-vous de l'aide ? demanda-t-elle d'une voix suave.

— Inutile.

Le gazouillis joyeux et le sourire humide de Taylor le confortèrent dans sa décision de ne pas capituler. Il se débarrasserait de son T-shirt plus tard.

— En route, poussin !

*
**

Au bout de deux minutes, Dax n'était plus aussi certain d'avoir les capacités nécessaires pour s'occuper d'un bébé à temps plein. Malgré une présence assidue auprès de ses neveux et nièces, il n'avait jamais eu à accomplir les tâches ingrates.

Toute nue sur la table à langer, Taylor lui donnait l'impression de posséder une vingtaine de paires de bras et de jambes, toutes en action. Et, par-dessus le marché, il n'avait aucune idée de la façon dont il fallait positionner cette couche au nombre incalculable d'élastiques et de scratches.

Amber s'avança sur le seuil de la salle de bains, toujours aussi impassible en apparence. Cependant, Dax aurait bien aimé interpréter en sa faveur la petite pointe d'émotion qu'il avait décelée, tout à l'heure, dans son regard. Malheureusement, difficile d'avoir des certitudes avec cette fille au visage de marbre.

— Besoin d'aide? proposa-t-elle de nouveau.

Evidemment! songea le jeune papa, juste au moment où il réussissait, comme par miracle, à fermer la couche sur le ventre rebondi de Taylor. Celle-ci en profita aussitôt pour lui bourrer les côtes de coups de pied.

— C'est une petite personne difficile à maîtriser, expliqua Amber. Très tenace, également.

Oubliant sa colère, Dax afficha un sourire de fierté. Une fois de plus, il tenta de remettre Taylor sur le dos. Celle-ci poussa un petit cri, lui échappa, et lui adressa un sourire baveux qui le fit fondre de tendresse.

Il n'arrivait toujours pas à croire que *lui* — le petit dernier de la famille McCall, le boute-en-train des soirées entre copains, la coqueluche des filles de San Diego — était devenu père de famille. La vérité, c'est qu'il était resté prisonnier d'une sorte d'adolescence éternelle... Que devait penser de lui une femme de la trempe d'Amber Riggs ? Cette soudaine prise de conscience le mit brusquement mal à l'aise.

Il entendit la jeune femme s'approcher derrière lui, et ressentit à nouveau ce courant inexplicable qui circulait entre eux. Lentement, il tourna la tête et la contempla. Leurs regards restèrent accrochés l'un à l'autre et, l'espace de quelques secondes, tout ce qui les séparait disparut. Comme dans un film en accéléré, Dax se rappela les instants où ils s'étaient tenus serrés l'un contre l'autre. La chaleur, la passion, la peur, le désir. Pour rien au monde, il n'aurait voulu changer quoi que ce fût... Excepté la brusque disparition de la jeune femme.

A cette évocation, sa rancœur revint en force. Bon sang, elle avait tout de même tenté de garder leur fille pour elle toute seule ! Voilà : le moment de grâce s'était évanoui.

Comme à regret, Dax se tourna de nouveau vers le bébé. A cet instant, Amber quitta la pièce sans un mot, et sans lui laisser aucune chance de deviner ses pensées.

Pendant un long moment, Dax resta immobile à regarder Taylor.

— J'ai l'impression que je sais mieux m'y prendre avec toi qu'avec ta jolie maman, murmura-t-il enfin en déposant un baiser sur le bout de son nez.

Taylor dormait sur le dos, les cils recourbés sur ses joues roses et rebondies. Son petit poing dans la bouche, elle présentait une attitude de total abandon, et semblait parfaitement indifférente aux tensions du monde extérieur.

Dax la dévorait des yeux. Le simple fait de la contempler lui serrait le cœur.

Il éprouvait, d'ailleurs, une émotion similaire quand il regardait Amber, tout comme en cet instant où elle s'avançait vers lui.

— Finissons-en, dit-elle posément. Que voulez-vous ?

— Ce que je veux ? répéta Dax, incrédule. Intéressant comme question.

— Vous pouvez y répondre ?

— Que diriez-vous de m'épouser ?

Là, le masque solennel de la jeune femme se fissura, trahissant la confusion la plus totale, mais elle se reprit étonnamment vite.

— Ne soyez pas ridicule !

— Répondez par oui ou par non, Amber.

— C'est tout simplement impensable.

— Pourquoi ? Il vous suffit de dire oui.

Amber ne broncha pas.

— Vous avez une autre solution ? lui demanda Dax, tout en se maudissant en son for intérieur pour la folie qui le poussait à proposer le mariage à une fille qu'il ne connaissait pas et qui, manifestement, n'y tenait pas plus que lui.

— Une fois mariés, nous ne serions ni l'un ni l'autre privés de Taylor, ajouta-t-il malgré lui. Ça me paraît logique.

— Quoi de plus logique, en effet ? répliqua Amber avec un rire bref.

— Bon sang, essayez donc de comprendre ! lança Dax vivement. Je ne peux pas tourner le dos à ma fille — pas plus qu'à vous, d'ailleurs.

— Vous n'avez aucune obligation envers moi, riposta sèchement Amber.

— Exact. Vous n'êtes pas une obligation...

Comme il prononçait ces mots, il sentit tout son corps se raidir de frustration. Entre eux, il y avait toujours ce même courant. Cette chaleur, cette passion, ce désir qui non seulement le troublaient mais qui lui faisaient aussi un peu peur.

— Bon, c'est simple. Oui ou non, voulez-vous m'épouser ?

La jeune femme inspira profondément, puis secoua la tête.

— Je ne me marierais pour rien au monde !

Comme d'habitude, elle semblait totalement maîtresse d'elle-même, mais ses narines qui palpitaient, tandis qu'elle parlait, trahissaient sa tension. Elle s'interrompit et baissa les yeux sur ses mains crispées l'une contre l'autre. Lentement, elle desserra les doigts et laissa retomber ses bras le long de son corps.

— D'ailleurs, je ne vous connais pas, ajouta-t-elle à voix basse.

— Dois-je vous rappeler que nous avons fait connaissance de façon plutôt intime, un certain jour de novembre ? Souvenez-vous : vous étiez terrifiée.

— Il n'est pas dans mes habitudes de céder à la panique, déclara froidement Amber. Et n'allez pas vous imaginer que, ce jour-là, j'étais...

— Quoi donc ? Faible ? Normale ? Humaine, peut-être ?

La jeune femme rougit violemment.

— Je ne voudrais pas que vous ayez une fausse impression de moi, voilà tout.

Dax laissa échapper un soupir exaspéré.

— Considérons ceci d'un point de vue plus terre à terre, mademoiselle Riggs. Nous sommes parents d'une petite fille. Difficile de prétendre que nous sommes des étrangers l'un pour l'autre.

— Ne vous fatiguez pas à argumenter. Ma réponse est non !

— Parfait. Donc, pas de mariage.

Dax refusait d'admettre sa déception parce qu'il n'arrivait tout simplement pas à croire qu'il pût être touché à ce point par le refus d'Amber. Il s'efforçait également d'ignorer la peur qu'il lisait dans son regard. Car, face à cette peur, il sentait sa colère s'évanouir alors qu'il avait pourtant tout lieu d'en vouloir à celle qui avait tenté de lui voler son enfant.

— Cela ne m'empêchera pas de remplir mon devoir de père, reprit-il. En tant qu'adultes, nous trouverons certainement un terrain d'entente pour nous partager Taylor.

— Vous voulez que nous nous la *partagions*? souffla Amber.

— Ça me semble assez naturel.

— Vous allez entamer une procédure pour obtenir un droit de visite?

— Est-ce nécessaire?

Amber marqua le coup en battant des cils. Le ton dur et tranchant de Dax lui avait fait l'effet d'un coup de poignard. Cet homme avait l'air si sûr de lui, presque féroce. Elle ne s'attendait pas à ce qu'il fût aussi concerné par son rôle de père.

Elle devait se ressaisir, ne pas paniquer, analyser la situation avec sang-froid... Comme en affaires. Tout d'abord, réclamer la lune, et ne transiger qu'en dernier ressort.

— J'exige que Taylor vive avec moi, déclara-t-elle alors d'un ton qui n'admettait aucune réplique.

— Cela va de soi, répondit Dax.

Il alla même jusqu'à la gratifier d'un sourire charmeur avant d'ajouter posément :

— A mi-temps, bien entendu.

Amber sentit son estomac se nouer.

— Mais...

— Mettons les choses au point une fois pour toutes! lança-t-il d'une voix tout à la fois ferme et douce comme du velours.

Lentement, il s'approcha de la jeune femme et posa les mains sur ses bras.

Alors, comme la première fois, elle sentit la chaleur de ses doigts irradier dans tout son corps... Le souvenir de ses caresses l'avait hantée presque chaque nuit, depuis le fameux jour de leur première rencontre. Et le fait de le sentir près d'elle était si oppressant qu'elle dut fermer les yeux pour ne pas dévoiler son émotion.

— Regardez-moi!

Surprise par cette injonction, elle obéit.

— Je peux comprendre votre méfiance à mon égard, dit-il d'une voix radoucie. Et je suis tout à fait conscient des efforts que nous allons devoir faire pour apprendre à mieux nous connaître et former une équipe.

Non sans mal, Amber réussit à garder son calme, à éloigner la panique qui menaçait de s'emparer d'elle à la pensée de ce que cela impliquait... Former une équipe avec Dax McCall, cela supposait devenir intimes... Ce n'était pas seulement le côté charnel qui l'effrayait, c'était tout le reste : le changement de vie, les engagements, la confrontation permanente avec ses propres émotions... tout ce qu'elle avait toujours cherché à éviter. Car, en présence de Dax, aucune de ses réactions n'était plus normale, à cause de l'incroyable attrait qu'il exerçait sur elle.

— Vous vous imaginez que je pourrais vous faire du mal, c'est ça ? reprit-il, déconcerté par son silence. Soyez rassurée : tout le monde vous dira que ce n'est pas mon style.

Avec une surprenante gentillesse, il fit soudain glisser ses doigts le long des bras de la jeune femme qu'il sentait si fragile sous son masque de marbre. Puis il plongea son regard bleu azur dans le sien, jusqu'à ce qu'elle fût incapable de le soutenir.

— Je veux que vous sachiez que je ne suis pas comme lui, dit-il doucement.

Sa voix pleine de sollicitude bouleversa Amber.

— Je veux parler de votre fiancé... ou de ceux qui vous ont blessée, par le passé.

Ainsi, il se souvenait de ce qu'elle lui avait confié.

— Loin de moi l'idée de vous effrayer ou de vous menacer. Je ne vais pas vous persécuter, Amber, mais...

Délicatement, il lui saisit le menton, et la força à le regarder droit dans les yeux.

— J'ai bien l'intention de tenir mon rôle de père. On peut faire en sorte que ça marche. Ce serait formidable.

Mais il faut le faire *ensemble*. C'est à cette seule condition que nous ferons le bonheur de notre fille.

Mon Dieu, cette voix... Amber se sentit transportée une année en arrière, vers ces moments magiques qu'ils avaient passés ensemble. Des instants qu'elle n'oublierait jamais parce que, pour la première fois de sa vie, elle s'était sentie protégée et aimée...

— Sans compter que, pour vous, ça ne doit pas être facile tous les jours, murmura-t-il encore. La petite n'est pas de tout repos. Que diriez-vous d'un coup de main ?

Prise de court, Amber tressaillit. Mille questions se mirent à tourbillonner dans son esprit. Etait-ce un geste de paix ? Lui pardonnait-il ? La désirait-il encore ?

Pendant quelques secondes, ses émotions prirent le pas sur sa raison, et elle s'autorisa à rêver... à rêver d'une vie de famille.

— Le mieux serait d'établir un planning, déclara Dax en s'écartant brusquement. Ça me semble être la solution la plus simple. A moins que vous n'ayez d'autres suggestions.

— Un planning ?

— C'est mon côté administratif qui reprend le dessus, expliqua-t-il avec un sourire d'autodérision. Je suis très organisé.

— Je ne vois pas comment...

— Etablir un planning des jours de garde, ça ne devrait pas poser de problème. J'adapterai mes horaires de travail.

— Comment ça ? souffla la jeune femme, incrédule, l'estomac noué.

— Il va de soi que je ne me contenterai pas du week-end, précisa Dax. Ce que je veux, c'est un partage équitable.

Qu'avait-elle donc espéré de cet homme ? Elle était furieuse de s'être autorisée à baisser sa garde l'espace de quelques secondes. Tout ce que McCall désirait, c'était Taylor. Alors, elle releva le menton.

— D'accord, acquiesça-t-elle d'une voix ferme. Nous allons partager.

— Equitablement?

Mon Dieu, elle allait devoir se séparer de Taylor... Elle sentit les larmes lui brûler les yeux.

— J'ai dit d'accord, et je n'ai qu'une parole.

— Parfait, conclut Dax.

Amber tressaillit. La soudaine indifférence de sa voix lui avait fait l'effet d'une gifle. Elle dut lutter pour résister à l'envie de pleurer. Il fallait en finir au plus vite car elle ne pourrait contenir son chagrin une minute de plus.

— Vous commencerez demain, déclara-t-elle d'une voix atone. Aujourd'hui, c'est moi qui la garde.

— Loin de moi l'idée de vous bousculer! affirma Dax, déconcerté par la brutalité de cette décision. Nous pouvons prendre un peu de temps pour discuter du meilleur arrangement possible.

— Inutile. Ne compliquons pas la situation : elle est déjà assez délicate comme ça!

— Je ne saisis pas...

— C'est pourtant simple. Puisque nous devons nous partager Taylor, faisons en sorte que les choses soient claires et nettes dès le départ. Ne commençons pas à y mêler des sentiments ou des convenances personnelles.

La jeune femme aurait pu ajouter que c'était pour elle une question de survie, mais au lieu de ça...

— Taylor est tout ce qui nous lie, reprit-elle. Il n'y a rien d'autre.

— En êtes-vous sûre? répliqua aussitôt Dax, une lueur cynique dans le regard. Vous oubliez notre mutuelle attirance physique...

— Il n'y a aucune attirance entre vous et moi, affirma vivement Amber. Absolument aucune!

— Qui voulez-vous convaincre de ça? demanda Dax, le regard inquisiteur.

— Pour ma part, je suis convaincue.

Un sourire amusé se dessina sur les lèvres de McCall. Il se rapprocha d'un pas, et Amber dut faire appel à tout son sang-froid pour rester parfaitement immobile.

— Alors, comme ça, vous ne ressentez rien pour moi ?

Comme il se rapprochait encore, Amber résista à l'envie de se sauver à toutes jambes. Heureusement, ses années d'autodiscipline lui permirent de surmonter sa faiblesse.

— C'est exact, répondit-elle en soutenant le regard bleu rivé sur elle.

— Vous ne vous souvenez donc pas de ce qui nous est arrivé ? De ce qui a *explosé* entre nous ?

— Cela n'a rien à voir avec nous..., commença la jeune femme.

Sans jamais la quitter des yeux, Dax avait posé sa main sur son bras. Elle déglutit nerveusement avant d'enchaîner sur un ton précipité :

— Cela n'a absolument rien à voir avec une quelconque attirance physique.

— Oh ! que si ! riposta Dax à voix basse — de cette voix qui bouleversait Amber jusqu'au plus profond de son être.

Et cela, elle ne pouvait le nier, pas plus qu'elle ne pouvait nier l'intensité du regard bleu rivé au sien. Un regard où se lisait regret mais aussi détermination.

— En tout cas, ce n'est pas ce que j'ai ressenti, déclara-t-elle. D'ailleurs, après ce que je vous ai fait, comment pourriez-vous éprouver pour moi autre chose que de la colère ?

Elle baissa le ton.

— Rappelez-vous : j'ai essayé de vous voler Taylor.

— Je sais...

Du bout des doigts, il lui effleura la joue.

— ... Cela ne signifie pas pour autant que vous n'éprouvez rien pour moi. Osez affirmer le contraire !

— Je...

Amber hésita. Elle vit alors passer dans les yeux de McCall une fugitive lueur de triomphe.

— Je n'ai rien à vous dire, décréta-t-elle brusquement en croisant les bras sur sa poitrine dans un geste inconscient de protection. Au revoir.

Dax recula d'un pas. Il dévisagea la jeune femme, puis secoua la tête d'un air pensif.

— Je viendrai chercher Taylor demain matin, annonça-t-il.

Sur ces paroles, il tourna les talons et sortit.

Il était enfin parti.

Du soulagement, voilà ce qu'elle aurait dû ressentir.

Au lieu de cela, elle n'éprouvait qu'un vide immense.

Seule.

Elle était de nouveau seule.

6.

Dès le lendemain matin, ils établirent un emploi du temps pour la garde de Taylor. Dax la prendrait le mardi et le jeudi, ainsi qu'un week-end sur deux. Il avait aménagé ses horaires de travail, mais, bien entendu, deux semaines après l'aménagement du planning, un imprévu professionnel fit coïncider jours de garde et jours de bureau. Loin de s'affoler, le jeune papa emmena sa fille à la caserne.

Au début, tout se passa de façon idyllique. Repue par son biberon du matin, la petite s'assoupit très vite sous les regards attendris des pompiers qui faisaient la queue pour l'admirer. Mais, dès que le petit somme s'acheva, ce fut la fin de la journée de travail pour Dax.

Taylor commença par hurler tandis qu'il était au téléphone avec le maire de la ville. Puis elle régurgita une partie de son biberon sur un rapport d'expertise qui devait être remis au tribunal l'après-midi même. Enfin, après un épisode assourdissant à cause d'une tétine mal réglée, elle finit, Dieu merci, par s'endormir, épuisée. Tout aussi épuisé, Dax sombra, lui aussi, dans une torpeur bienfaisante, le nez dans ses papiers.

Le répit fut de courte durée.

Quelques minutes plus tard, il était réveillé en sursaut par les hurlements perçants de sa fille qui avait récupéré toute son énergie — et tout son souffle. Les cris semblaient même avoir redoublé d'intensité. Rouge de colère, Taylor s'époumonait sans manifester le moindre signe de fatigue, tandis que son malheureux papa essayait tout ce qui lui venait à l'esprit pour la calmer : chanter, faire le clown, danser et, finalement, supplier. Sans autre résultat que s'attirer les sourires amusés et les plaisanteries de la brigade rassemblée au grand complet sur le seuil de son bureau afin de ne pas perdre une miette du spectacle.

Pour finir, quand les cris de Taylor menacèrent d'alerter tout le quartier — difficile pour le néophyte de faire la différence entre la sirène incendie et les cris d'un bébé —, Dax se résolut à appeler Amber.

— Je ne comprends pas ce qui lui arrive ! cria-t-il dans l'appareil pour couvrir les hurlements stridents de sa fille. Je...

— D'accord. J'arrive.

Un quart d'heure plus tard, berçant dans ses bras un nourrisson qui s'époumonait toujours sans faiblir, Dax faisait les cent pas dans son bureau quand Amber apparut sur le pas de la porte. Pour un peu, il l'aurait embrassée.

— Qu'est-ce que j'ai bien pu lui faire ?

Sans se donner la peine de répondre, la jeune femme secoua la tête et prit Taylor dans ses bras.

Aussitôt, le bébé hoqueta et se calma sous le regard stupéfait de son père.

Le brusque retour du silence était presque surréaliste.

Amber continua de bercer la fillette tout en lui murmurant des mots doux. Taylor fit alors entendre des petits bruits de succion avec ses lèvres, tout en serrant ses poings minuscules sur le chemisier de sa maman.

On aurait dit un chaton affamé.

— Elle ne peut pas avoir faim, dit Dax. Elle a refusé le biberon que je lui proposais.

— Eh bien..., commença Amber en jetant un regard gêné autour d'elle, ce n'est peut-être pas le biberon qu'elle veut.

76

— Elle ne veut pas... Oh, je comprends... Elle veut le sein.

Le soulagement de Dax était tel qu'il ne put s'empêcher d'éclater de rire.

— Pourtant, voilà deux semaines qu'elle prend le biberon sans problème, dit-il d'une voix redevenue sérieuse.

— Je vous avais prévenu qu'elle était parfois capricieuse.

— Capricieuse et têtue comme une mule ! J'imagine qu'elle tient de ses parents ! Bon. Installez-vous donc ici.

Il tira une chaise vers la jeune femme, et recula machinalement de quelques pas, sans pour autant quitter la pièce.

Visiblement gênée, Amber le dévisagea.

De son côté, Taylor s'était remise à pleurer.

— Dépêchez-vous ! supplia Dax. Seigneur, comment un petit être aussi adorable peut-il faire autant de bruit ?

D'une main hésitante, Amber déboutonna son chemisier et attendit.

Jusqu'à cet instant, Dax avait été captivé par le visage écarlate de sa fille, mais comme Amber n'esquissait pas un geste, il releva lentement les yeux sur elle. Il découvrit d'abord la ligne de peau satinée dévoilée par le chemisier ouvert. Puis son regard remonta hardiment vers sa gorge. Et, soudain, la température de son corps grimpa de dix degrés.

— Je ne peux pas le faire... devant vous, Dax.

Il se sentit vaciller sur ses jambes en songeant à ses seins ronds, fermes, sensibles, exquis, qu'il avait un jour torturés de la langue et des dents... Il se retourna brusquement, et quitta le bureau pour partir à la recherche d'un grand verre d'eau froide.

Une douche eût été certainement plus adaptée, songeait-il, furieux contre lui-même. Car, en dépit de ses résolutions — et de ses efforts pour se convaincre qu'il n'éprouvait aucun sentiment pour cette femme qui avait tenté de lui voler son enfant —, il devait se rendre à l'évidence : Amber le rendait fou de désir.

Difficile de nier les faits. D'un côté, il y avait Taylor qu'il aimait de tout son cœur, de toute son âme, simplement, sans se poser de questions. De l'autre, il y avait Amber... Et là, c'était une autre histoire. Cette fille avait transformé son esprit en un véritable champ de bataille où s'affrontaient des sentiments contradictoires. Certes, elle lui avait caché l'existence de Taylor. Mais, d'une certaine façon, il comprenait sa réaction. A maintes reprises, il s'était même senti prêt à lui pardonner. Et ça, ça le contrariait énormément. Ça le contrariait parce qu'il s'était juré de ne pas oublier que, sans le hasard qui lui avait fait croiser Amber à la maternité, il n'aurait jamais eu le bonheur de voir grandir son enfant.

Le jeudi suivant, Amber vint directement chercher Taylor à la brigade incendie. Dax nota immédiatement qu'elle paraissait fatiguée. Au moment d'entrer dans le bureau, elle lui adressa un regard impénétrable, et s'avança directement vers sa fille qui, allongée sur un tapis d'éveil, suçait avidement sa manche.

— Bonjour, poupée, murmura-t-elle, le visage brusquement éclairé d'un sourire radieux, de ceux qu'elle gardait uniquement pour Taylor.

La petite fille se mit à agiter bras et jambes en gazouillant joyeusement.

— On dirait que la journée s'est bien passée ! lança Amber par-dessus son épaule.

— Vous aviez des doutes ?

— Oh, je ne me faisais pas vraiment de souci.

Elle marqua une pause, puis reprit d'une voix distraite :

— Vous vous débrouillez très bien.

— Dois-je le prendre comme un compliment ?

La jeune femme se raidit.

— Non. Seulement comme une constatation. Taylor est parfois difficile.

— Seriez-vous en train d'insinuer que ma fille a un caractère de cochon?

Au son de sa voix taquine, Amber se tourna lentement vers lui. Sans un mot, elle balaya du regard le bureau couvert de paperasses, la poubelle débordant de couches bébé, le sac à langer, et les jouets éparpillés un peu partout dans la pièce. A ses pieds, il y avait Taylor, babillant et gigotant à qui mieux mieux.

Tirée à quatre épingles dans son tailleur marine à la coupe impeccable, la jeune femme s'agenouilla près de son bébé.

— Tu t'es bien amusée, mon ange?

— Le petit ange était en grande forme, aujourd'hui! déclara Dax, la voix faussement sévère. Elle s'est même permis de crachouiller sur le capitaine des pompiers.

Le sourire d'Amber s'élargit.

— Alors, comme ça, on torture son papa, ma puce?

Dax réprima un soupir. Pour l'instant, lui, ce qui le torturait, c'était Amber. Ses jambes étaient belles à mourir. Et la façon dont elle se penchait sur le bébé les dévoilait jusqu'à mi-cuisse. Il se demanda brusquement si elle portait des bas de soie, comme le jour du tremblement de terre.

Inconsciente de ses charmes, Amber se pencha plus avant sur le bébé pour l'embrasser dans le cou. Taylor gloussa de plaisir.

Quant à Dax, il souffrait en silence. Dire qu'il avait caressé chaque centimètre de ce corps de déesse sans l'avoir jamais vraiment *vu*.

— Elle est superbe! dit Amber d'un ton d'extase, en parlant de Taylor.

— Vous aussi!

Et voilà, les mots étaient sortis malgré lui! Dax se mordit la lèvre. Cependant, quand Amber leva vers lui un regard surpris, il ne put s'empêcher de sourire.

— Réflexion totalement déplacée, déclara-t-elle d'un ton guindé.

— Je vous l'accorde... Mais ce n'est que la vérité.

Comme si elle prenait brusquement conscience de l'aspect provocant de sa posture, Amber se releva souplement en tirant sur sa jupe de façon tout à fait distinguée. Jamais de gestes précipités ni disgracieux chez cette fille, songea Dax. Elle restait toujours aussi froide et lisse qu'un glaçon.

— Qu'est-ce que vous faites ? demanda-t-elle.

— Comment ça, qu'est-ce que je fais ?

— Vous me regardez.

Dax ne put retenir un éclat de rire.

— Ça vous étonne ?

— D'habitude, les hommes ne me regardent pas de cette façon, répliqua Amber.

Elle détourna les yeux vers la fenêtre.

Il y eut quelques secondes de silence. Dax contemplait la courbe de sa nuque. Cette courbe qui exprimait tant de fragilité, d'abandon et de rigidité en même temps.

— Dans ce cas, vous ne croisez que des aveugles, conclut-il doucement. Vous êtes très belle, Amber.

Impassible — du moins en apparence —, elle chercha son regard comme pour savoir s'il plaisantait.

— Le simple fait de vous voir me fait fantasmer sur des caresses ardentes et des baisers volés, ajouta Dax.

La jeune femme rougit.

Ce modèle de parfaite maîtrise de soi n'était donc pas inébranlable !

— Désolé, dit-il. Encore une réflexion déplacée, n'est-ce pas ? Je suis gaffeur.

— Je m'en étais aperçue, répliqua froidement Amber.

Le visage de nouveau impassible, elle fit quelques pas dans la pièce, évaluant au passage les tonnes de paperasse amoncelées sur le bureau et sur les chaises. Le blouson de Dax traînait sur le sol, tout comme sa combinaison de pompier et le sac en papier qui avait probablement contenu son déjeuner.

— Vous êtes désordonné, dit-elle en se penchant pour ramasser le blouson et le suspendre au porte-manteau.

Dax se demanda s'il devait prendre ce geste comme un signe d'intérêt pour lui ou si cela ne trahissait qu'une inquiétude quant à la manière dont il s'occupait de sa fille.

— Touchez-en deux mots à Taylor, rétorqua-t-il. Elle a sa part de responsabilité dans ce capharnaüm.

Un sourire passa fugitivement sur les lèvres d'Amber. Pas assez fugitif, cependant, pour échapper au regard scrutateur de Dax. Perdu dans ses pensées, il continuait de dévisager la jeune femme, comme pour percer ce mur de froideur qui lui servait de carapace contre le monde extérieur.

— Qu'est-ce qu'il y a? demanda-t-elle.

D'ordinaire, Dax savait s'y prendre avec les femmes. Il savait les flatter, les cajoler. Mais, avec Amber, il avait le sentiment que ça ne marcherait pas. Elle était tellement différente des autres. Inconsciente de sa beauté, elle restait plantée là, les sourcils froncés, l'air perplexe.

Malgré sa silhouette racée, ses longues jambes et son port de danseuse, elle n'avait pas la mentalité d'une jolie femme. Elle n'était pas séductrice pour deux sous, et les compliments l'embarrassaient. Elle était ombrageuse, effarouchée par le plus léger contact physique. Et puis, surtout, il y avait ses splendides yeux sombres qui reflétaient des blessures secrètes, ses lèvres qui restaient serrées, comme pincées sur une souffrance. Et ses épaules, qui paraissaient pourtant suffisamment solides pour porter le fardeau des misères du monde entier, et qui semblaient brusquement raidies... comme si la charge était devenue trop importante.

— Cessez donc de me regarder comme ça !

— Comme quoi ?

— Comme... comme si vous aviez faim.

Elle ne croyait pas si bien dire. Oh, oui, il était affamé... Affamé d'elle. Combien de temps lui faudrait-il pour faire tomber cette muraille derrière laquelle se cachait Amber

Riggs? Combien de temps pour trouver la véritable Amber?

— Pourquoi continuez-vous à me dévisager ainsi?

Parce qu'elle était d'une beauté à couper le souffle. Parce qu'elle constituait une énigme qu'il n'arrivait pas à résoudre. Parce qu'il ne pouvait pas s'en empêcher...

Au lieu de dire tout ça, il la poussa gentiment vers une chaise et la força à s'asseoir.

— Je n'ai pas le temps de m'arrêter, protesta-t-elle d'une voix lasse. Je dois encore passer chez l'épicier et chez le teinturier avant de rentrer à la maison. Par-dessus le marché, j'ai un dossier à...

Elle s'interrompit soudain, et, dans un geste rare, plein d'émotions, elle passa la main sur ses yeux fatigués.

— ... Je ne sais pas pourquoi je vous raconte tout ça.

— Probablement parce que vous êtes à bout de forces. Sinon, vous n'auriez pas dit un mot. Vous auriez assumé, comme d'habitude. Sauf qu'aujourd'hui, vous n'êtes plus seule. Nous formons une équipe, Amber. Vous pouvez compter sur moi.

Elle le dévisagea, l'air surpris et troublé, à la fois incrédule et méfiante, à tel point que Dax se demanda quelle était sa définition à elle d'une équipe.

— Pourquoi ne pas me laisser Taylor pendant que vous allez faire vos courses? proposa-t-il. Elle ne risque pas de s'ennuyer. Il ne sécoule pas deux secondes sans que l'un de mes collègues passe la voir. Je la ramènerai chez vous dans la soirée.

— Ne commençons pas à déroger au programme établi.

— Amber...

Tout naturellement, Dax tendit la main vers son visage, et lui caressa la joue.

Instinctivement, elle s'écarta.

— Les caresses vous effraient? lui demanda-t-il posément.

— Je n'aime pas qu'on me touche.

— Pourtant, je crois me rappeler qu'un certain jour...

— Nous en avons déjà discuté, coupa Amber avec ce ton sec et précieux que Dax commençait à aimer. Je ne vais pas jouer les saintes-nitouches. D'accord, j'ai agi sur un coup de folie, ce jour-là. Et je ne suis pas près de recommencer.

— Vous regrettez cette folie ?

Comme elle ne répondait pas, Dax ajouta :

— Vous vous imaginez qu'elle m'empêche de vous respecter ?

Toujours ce même regard figé. Bon sang, avec elle, le mot entêté prenait tout son sens !

— Amber, ce qui s'est passé entre nous était peut-être complètement dingue, je vous l'accorde. Mais c'était aussi une étreinte spontanée, passionnée... vitale.

— Ce n'était qu'une pulsion sexuelle. Ça n'avait absolument rien d'exceptionnel.

Impulsivement, Dax serra les poings. Seigneur, comme il aurait aimé lui prouver que ce n'était pas vrai, là, ici même, sur le sol de cette pièce ! D'ailleurs, il n'avait aucun doute sur le résultat. Ça marcherait ! Cette fille était pareille au volcan qui couve sous la glace. Tout ce qu'il avait à faire, c'était attiser le brasier. Et, au souvenir de la façon dont il l'avait embrasée, un an plus tôt, il estima que cela ne devrait guère prendre plus de deux secondes.

Mais il n'en ferait rien. D'abord parce qu'il s'était assez reproché de lui avoir pardonné aussi facilement, et ensuite parce qu'il détestait la façon dont il se morfondait de désir pour elle... comme en ce moment.

— Bizarre. Ce n'est pas tout à fait comme ça que je m'en souviens, répliqua-t-il avec un sourire nonchalant.

— J'ai agi à la légère. Et je n'aime pas qu'on me le rappelle.

— A la légère ? répéta Dax, sur un ton incrédule et étrangement blessé. C'est bien la dernière chose qui me vient à l'esprit quand je repense à cette journée.

Comme la jeune femme se détournait, il lui saisit le bras et l'obligea à le regarder dans les yeux tandis qu'il poursuivait :

— Amber, nous étions terrifiés. Nous étions certains de mourir. Nous avions besoin de sentir encore la vie en nous. Et c'est ce que nous avons fait dans les bras l'un de l'autre. Comment avez-vous pu tirer un trait sur tout ça ?

Elle tenta de se dégager d'une secousse, mais il ne lâcha pas prise pour autant, bien au contraire... Il resserra l'étau de ses doigts sur son bras.

— Je ne peux pas le croire ! lança-t-il d'une voix sourde.

Subitement, il lui était insupportable qu'elle pût regretter ce qu'ils avaient partagé.

— Vous n'allez tout de même pas vous reprocher toute votre vie ce qui s'est passé ce jour de novembre. C'est arrivé, un point c'est tout. Et c'était... bien. Très bien, même !

A ces mots, le regard de la jeune femme s'adoucit.

— C'est vrai. Taylor est entrée dans ma vie, dit-elle calmement.

— Dans *nos* vies, corrigea Dax. Et, là-dessus, difficile de tirer un trait.

Durant quelques secondes, leurs regards restèrent accrochés l'un à l'autre. Leurs visages étaient si proches que Dax dut faire un effort méritoire pour résister à l'envie d'embrasser ses lèvres si douces, si tentantes.

— Au fait, pour ce soir, ma proposition tient toujours, déclara-t-il brusquement. Je m'occupe de Taylor pendant que vous faites vos courses, et je la ramène chez vous, avec le dîner en prime.

— Pourquoi faites-vous ça ?

— Ce doit être fatigant, à la longue, d'être aussi méfiante ?

— Vous n'avez pas répondu à ma question. Pourquoi m'apporteriez-vous à dîner ?

— Parce que j'ai faim, évidemment ! répondit Dax, une lueur espiègle dans son regard bleu.

— Je vois... J'imagine que je ne peux pas refuser.

— Exact.

De toute façon, qu'elle le veuille ou non, il se serait invité avec le repas sous le bras. Pas besoin d'une boule de cristal pour deviner que cette fille ne s'était pas offert un repas chaud et une bonne nuit de sommeil depuis un bon bout de temps.

— Filez, dit-il en la poussant gentiment vers la porte. A tout à l'heure.

Rapidement, il la conduisit jusqu'à l'ascenseur, et s'éclipsa avant qu'elle n'eût le temps de changer d'avis — ce qu'elle aurait probablement fait si elle n'avait pas été morte de fatigue.

De retour dans son bureau, Dax se tourna vers Taylor.

— On peut dire que tu épuises tes parents, bout d'chou! déclara-t-il, l'air faussement sévère, en la prenant dans ses bras pour la serrer contre lui.

Taylor le gratifia d'un sourire baveux mais ravi.

— Il faut que ça cesse, bout d'chou. Tu m'entends?

La fillette fit entendre un petit gazouillis.

Alors, laissant libre cours à son affection, Dax la couvrit de baisers, la faisant rire aux éclats. Le cœur débordant de joie, il prit brusquement conscience qu'il ne pouvait plus se passer de Taylor — tout comme il ne pouvait plus se passer de sa jolie maman.

Dax sonna à la porte à 7 heures pile.

Amber lui ouvrit, et, pour une fois, faisant fi de son calme légendaire, elle ne put résister au besoin de serrer Taylor dans ses bras. Elle l'embrassa sur le bout du nez, dans le cou, et faillit bondir au plafond quand la voix grave et incroyablement sensuelle de Dax murmura derrière elle:

— J'en volerais bien un.

Lentement, elle se tourna vers lui.

— Vous voleriez quoi ?

— Un baiser.

— Hum ! marmonna Amber, l'estomac soudain noué par le désir.

Dax lui sourit.

Décidément, elle ne comprenait rien aux hommes, se dit-elle, déconcertée par son sourire. Normalement, il aurait dû la détester. Ou, tout au moins, être toujours furieux contre elle. Mais ce n'était pas le cas. Il la regardait même d'une façon troublante et... excitante. Oui, excitante. Et c'était extraordinairement agréable.

— Vous avez faim ? demanda-t-il en posant sur la table de la cuisine un sac d'où s'échappait l'arôme épicé de mets asiatiques.

Amber en avait l'eau à la bouche. Mais, avant de songer au dîner, elle avait un coup de téléphone à passer. Et elle devait le faire tant qu'elle s'en sentait encore le courage.

— C'est l'anniversaire de mon père, et je m'apprêtais à l'appeler, dit-elle d'une voix qui avait subitement perdu toute son assurance.

— Dans ce cas, proposez-lui de se joindre à nous.

Aucune chance qu'il accepte, songea Amber. Mais pas question de l'admettre devant McCall. Elle devait jouer le jeu... Tandis que Dax la regardait avec cette intensité tranquille qui lui était si personnelle, elle décrocha le téléphone et composa le numéro de son père.

— Bonjour, papa, dit-elle, surprise par le ton posé de sa voix alors que son cœur bondissait dans sa poitrine. Je voulais simplement te souhaiter un bon anniversaire.

Sa voix resta calme. Surtout ne pas perdre son sang-froid, s'exhorta-t-elle silencieusement — même si elle se sentait tendue à l'extrême, au point d'avoir peur de craquer à tout moment.

— Et je me suis dit que tu accepterais peut-être de venir dîner chez moi pour faire la connaissance de ta petite-fille, ajouta-t-elle.

— Certainement pas ! aboya la voix qui avait dominé toute son enfance. Je ne veux pas d'une petite-fille dont la mère est une putain !

Intrigué, Dax s'avança vers Amber qui n'eut d'autre choix que de coller l'écouteur à son oreille en priant pour que son père baissât le ton.

— Je suis désolée que tu m'en veuilles encore, dit-elle. Il n'y a pourtant aucune raison...

Elle marqua une courte pause, puis elle ajouta doucement :

— Ce n'est pas vrai, je ne suis pas comme elle...

— As-tu épousé le père ?

— Epousé ? Euh... non, bredouilla-t-elle en lançant un coup d'œil par-dessus son épaule pour croiser le regard inquisiteur de Dax.

Le visage tendu, elle lui fit signe de s'installer dans le salon.

Dax se contenta de faire un pas de plus dans sa direction. Ses sourcils froncés lui donnaient l'air presque farouche, nota machinalement Amber.

Avec un soupir d'impatience, elle couvrit le micro de sa main.

— Laissez-moi seule un instant, murmura-t-elle d'une voix pressante.

— J'aurais peut-être dû l'inviter moi-même, chuchota Dax en retour.

Et, sans prévenir, il lui arracha le téléphone des mains.

— Rendez-le-moi !

— Un moment ! murmura Dax en tenant l'appareil à bout de bras, hors de portée de la jeune femme.

Puis, sans se départir de son calme, il colla le récepteur contre son oreille, tout en glissant un bras autour de la taille de sa compagne afin de la maîtriser tendrement.

Et là, contre toute attente, Amber sentit le désir envahir tout son corps.

Comme s'il l'avait deviné, Dax plongea son regard dans le sien.

— Je vous en prie... Donnez-moi ce téléphone, balbutia-t-elle.

Pour toute réponse, il resserra son étreinte.

— Je vous en supplie !

Inflexible, Dax se contenta de secouer la tête. Puis, poliment, il se présenta au père de la jeune femme :

— Bonjour. Dax McCall, le père de Taylor.

Horrifiée, Amber poussa un gémissement. Son père jugeait déjà qu'elle menait une vie dissolue ! L'intervention de McCall n'allait certainement pas arranger les choses.

De toute façon, il ne fallait pas rêver : le capitaine Riggs ne revenait jamais sur ses décisions. Pourtant, elle n'avait cessé d'espérer qu'un jour, il lui pardonne... qu'un jour, il accepte de la revoir... qu'un jour, ils forment une famille.

— J'assume entièrement mes responsabilités, monsieur, précisa Dax avec son éternel sourire décontracté — un sourire que démentait, cependant, l'éclat métallique et dangereux de ses yeux bleus. Avez-vous des questions ?

Sans se départir de son sourire, il marqua une pause, puis ajouta d'un ton détaché, comme s'il s'adressait à une vieille connaissance :

— Nous serions heureux de vous avoir à dîner.

Silence.

— Oh, cela vous est impossible ? Dans ce cas, pourquoi ne pas nous rencontrer demain matin, pour le petit déjeuner ? Je travaille au département des enquêtes de la brigade incendie. Oui. De cette façon, vous pourrez me faire part de vos griefs directement. Inutile d'embêter Amber avec ça. Elle n'y est pour rien. D'accord ? Alors, à demain.

Quand il raccrocha, Amber le regardait bouche bée.

— Je déteste les tyrans, conclut-il sur le ton de la conversation.

Médusée, Amber était en train de découvrir que McCall était tout, sauf prévisible.

— Je... Je ne peux pas croire qu'il ait accepté de vous rencontrer, bredouilla-t-elle en faisant un effort pour retrouver son calme.

— Oh, il n'a certainement qu'une envie : me mettre son poing dans la figure, précisa Dax avec bonhomie. Enfin, j'espère qu'il y réfléchira à deux fois.

— Et... il a été... correct ?

— Disons, poli. Et surtout curieux.

En moins de deux minutes, Dax avait réussi à retenir l'attention du capitaine Riggs, ce pour quoi elle s'était battue toute sa vie, songea Amber. C'était démoralisant, déprimant pour ne pas dire injuste. Soudain, elle se sentit submergée par une vague de colère.

— Amber ?

Elle était tout à fait consciente que sa fureur n'avait aucun sens, qu'elle n'était pas dirigée contre la bonne personne. Mais c'était plus fort qu'elle.

— Vous feriez mieux de partir ! lança-t-elle.

— Quoi ?

Dax avait l'air tellement sidéré qu'elle eut presque envie de rire. La situation n'avait pourtant rien de drôle.

— J'imagine que vous n'avez pas l'habitude d'être repoussé, dit-elle. Considérez cela comme une première expérience.

— Amber, écoutez-moi !

Calmement, il posa les mains sur ses épaules, et plongea les yeux dans les siens.

— Vous vous souciez de l'opinion de votre père, et...

— Absolument pas !

— Bien sûr que si ! Et c'est normal.

Incapable de supporter la compassion qu'elle croyait lire dans son regard bleu, Amber tenta de se dégager, mais c'était sans compter avec la détermination de McCall.

— Je n'avais pas l'intention de vous faire du tort, reprit-il doucement. J'ai accepté de le rencontrer uniquement pour éviter qu'il mette toute la pression sur vous.

Bon sang, ne comprenait-il pas que c'était par sa simple présence dans sa vie qu'il lui faisait du tort ? Ne comprenait-il pas qu'il devait partir tout de suite, avant qu'elle ne fît quelque chose de stupide, comme s'effondrer en sanglotant sur son épaule ? Elle voulait être seule... seule avec sa souffrance.

— Ecoutez... J'ai eu une journée difficile.

— Oh, je la connais, celle-là ! répliqua Dax avec un sourire chaleureux, empreint de douceur et de tendresse.

Et quand il caressa sa joue comme si elle était la personne la plus précieuse au monde, Amber sentit sa gorge se serrer.

— Pourquoi êtes-vous... si gentil avec moi ?

— Parce que c'est mieux que d'en vouloir au monde entier, et que ça me fait plaisir, répondit Dax avec un haussement d'épaules.

— Mais...

— Amber, n'êtes-vous jamais fatiguée de lutter contre ça ?

— Ça quoi ?

— Ça !

Lentement, de l'index, il suivit le contour de son visage, avant de s'arrêter au creux de sa gorge, là où battait son pouls.

— Ceci.

— Je... Je ne comprends pas de quoi vous voulez parler.

En guise de réponse, Dax se contenta de sourire et de laisser glisser un regard appréciateur sur la poitrine de la jeune femme.

— Vraiment ? murmura-t-il. Inutile de nier. Ça se voit.

Avec une moue indignée, Amber croisa les bras.

— En voilà la preuve ! dit Dax avec un regard provocant. On dirait que vous avez quelques difficultés à maîtriser cette attirance physique que nous éprouvons l'un pour l'autre. C'est, d'ailleurs, la seule arme dont je dispose pour vous faire réagir.

La jeune femme tressaillit. Au diable le sang-froid et les subtilités ! Au diable les apparences ! Il fallait que ce type parte tout de suite, avant qu'elle ne devienne complètement dingue et qu'elle ne se jette à son cou.

90

Alors, d'un air déterminé, elle marcha vers la porte d'entrée et l'ouvrit en grand.

— Bonne nuit, Dax.

Il fronça les sourcils. Etait-il surpris par ses façons brutales ? Amber n'aurait su le dire.

— Ecoutez, ne le prenez pas pour vous, lui dit-elle. Mais, franchement, j'ai eu ma dose en matière d'hommes autoritaires et manipulateurs, toujours prêts à décider de ce qui était bon ou mauvais pour moi.

— Et vous pensez que c'est ce que je suis en train de faire ?

— Ai-je tort ? Vous voulez que nous partagions la garde de Taylor...

— C'est aussi ma fille. Mettez-vous bien ça dans le crâne, espèce de tête de mule !

Puis, sans prévenir, il prit le visage de la jeune femme entre ses mains. Leurs regards se croisèrent.

S'il l'embrassait, là, maintenant, fondrait-elle à nouveau comme elle l'avait déjà fait ? se demanda-t-elle.

Probablement.

Assurément.

Raison de plus pour le faire sortir d'ici. Malheureusement, il ne semblait pas pressé de bouger, et elle n'était pas de taille à lutter contre sa force tranquille.

— Je ne comprends vraiment pas pourquoi ce courant si étrange et si fort qui passe entre nous vous effarouche à ce point, murmura Dax, une lueur de tristesse dans les yeux.

Amber sentit une boule de remords lui nouer la gorge. Bon sang, avait-il besoin de se montrer si sensible, si ouvert... si parfait ?

— Je ne ressens rien de particulier entre nous, assura-t-elle d'une voix sourde.

De nouveau, Dax posa son pouce à la base de son cou, sur son pouls qui battait furieusement.

— Menteuse ! gronda-t-il gentiment.

— Bonne nuit, Dax.

Il la dévisagea un long moment, puis sortit sur le pas de la porte.

Derrière lui, Amber tentait d'étouffer la petite voix intérieure qui lui soufflait de le retenir. Oui, elle était une *menteuse*. Oui, elle *voulait* qu'il reste. Oui, elle *voulait* qu'il la séduise. Ou peut-être... était-ce tout simplement elle qui mourait d'envie de le séduire.

Seigneur, ses instincts n'étaient-ils pas en train de prendre le dessus, comme cela avait été le cas pour sa mère ? se demanda-t-elle, mortifiée.

— Vous allez rêver de moi, chuchota Dax en guise d'au revoir.

Submergée par une foule d'émotions contradictoires, Amber se hâta de refermer la porte, puis de s'y adosser. Elle se sentait vidée de ses forces. Mon Dieu, que lui arrivait-il ? Son corps brûlait de désir pour McCall. Ce n'était pas ce qu'elle voulait ! Ça ne marcherait jamais !

Au bout d'un moment, elle réagit, et se rendit dans la cuisine. Le dîner était là, sur la table.

— Voilà ! Bon appétit ! murmura-t-elle.

Puis, furieuse contre elle-même, elle sortit les plats de leur sac, plongea rageusement une cuillère dans le riz cantonais, et se mit à manger avec avidité, comme pour combler sa solitude.

Plus tard, après s'être occupée de Taylor, elle s'allongea sur son lit. Les yeux clos, elle tenta de toutes ses forces d'oublier l'impétuosité avec laquelle Dax avait pris sa défense contre son père. Elle essaya aussi d'oublier à quel point elle avait été heureuse, pendant un court instant, de se sentir épaulée, protégée.

Et, ainsi qu'il l'avait prédit, elle rêva de lui.

92

7.

Le lendemain matin, Amber se réveilla étonnamment reposée, malgré les images d'extrême sensualité qui avaient accompagné son sommeil.

Elle demeura allongée un moment, flottant dans une illusion de bien-être, avant de se lever et de jeter un coup d'œil sur le berceau dans lequel Taylor dormait encore à poings fermés. Sur la pointe des pieds, elle se dirigea vers la salle de bains.

La douche chaude la fit revenir sur terre. Puis elle s'immobilisa devant le miroir pour contempler un instant l'image de son corps dénudé.

Les kilos pris pendant sa grossesse avaient totalement disparu après l'accouchement. Pourtant, ses hanches paraissaient plus rondes, et son ventre légèrement bombé. Quant à sa poitrine, on pouvait dire qu'elle était épanouie...

En observant ainsi ses seins ronds et fermes, elle se demanda ce que Dax pouvait bien penser de son corps, maintenant, et le seul fait d'y songer lui fit monter le rouge aux joues. Elle savait... Il aimait ce qu'il voyait. Car, chaque fois qu'elle lui glissait un coup d'œil à la dérobée, elle surprenait son regard bleu posé sur elle avec une intensité passionnée, presque sauvage, qui la brûlait. Elle y avait, d'ailleurs, pensé toute la nuit.

La veille, elle s'était montrée odieuse avec lui, injustement odieuse. Dax n'avait certainement pas compris — et ne comprendrait certainement jamais — pourquoi son avenir à elle était à ce point conditionné par les blessures du passé. Un passé durant lequel elle avait aveuglément obéi à son père, se pliant aux ordres, faisant taire en elle toute individualité. Résultat : elle avait étouffé sa féminité, son besoin d'affection. Seule sa froideur apparente et son calme lui avaient permis de survivre. Elle avait pris l'habitude de garder ses pensées et ses émotions pour elle... de les cacher.

Voilà pourquoi, aujourd'hui, elle défendait si farouchement son indépendance. Personne n'avait réussi à percer sa coquille, excepté McCall. Et ça, c'était presque plus angoissant que d'être enfermée seule dans le placard obscur sous l'escalier...

Mais était-ce une raison pour se montrer aussi dure et injuste envers cet homme qui l'avait protégée, consolée, rassurée alors que le monde autour d'eux s'écroulait ? N'était-ce pas à elle de faire le premier pas — ou, du moins, d'essayer ?

Elle s'habilla rapidement, puis emmena Taylor chez la nounou, une charmante vieille dame d'une soixantaine d'années qui habitait l'étage du dessous.

Cinq minutes plus tard, elle était en voiture sur la voie rapide, en direction de la caserne des pompiers de San Diego. Sa décision était prise.

Elle montait dans les bureaux de la brigade avec l'intention de s'excuser, s'imaginant trouver un Dax McCall malheureux comme les pierres, quand elle l'aperçut : il s'apprêtait à sortir, une fille pendue à chaque bras, le sourire conquérant, sûr de lui, outrageusement séduisant et pas abattu le moins du monde.

Le mufle ! Tout compte fait, rien ne pressait pour les excuses, se dit Amber, tout en regrettant de ne pas pouvoir disparaître six pieds sous terre. Evidemment, il était trop tard pour se mettre à courir. Dax n'était plus qu'à quelques pas. Il pouvait l'apercevoir à tout moment — mais encore eût-il fallu qu'il détournât les yeux des deux pin-up qui l'accompagnaient.

— Oh, Dax, minauda la plus grande, une splendide blonde agrippée à son bras gauche. Ça fait tellement long-temps !

— Je sais. Merci pour ta patience, fit Dax avec un sou-rire irrésistible. Mais j'avais du travail par-dessus la tête.

— Dans ce cas, tu vas devoir faire amende honorable, intervint la rousse avec un clin d'œil complice qui horripila Amber.

— Absolument, répondit Dax, tout sourires.

— Bien. Parce que...

Se collant contre lui, la blonde lui murmura quelque chose à l'oreille.

Dax haussa les sourcils d'un air amusé.

— Pas de messes basses ! lança la rousse, indignée.

Dax lui décocha un regard lourd de promesses qui acheva de mettre les nerfs d'Amber en pelote.

A présent, le petit groupe était presque parvenu à sa hau-teur, mais le play-boy était tellement occupé à faire les yeux doux aux poupées Barbie qu'il allait bientôt passer devant elle sans la voir !

Voilà donc l'homme auquel elle s'apprêtait à faire de plates excuses, celui qu'elle avait imaginé en train de broyer du noir ! Eh bien, bravo pour la perspicacité !

Ne se faisant aucune illusion quant à ses chances de dis-paraître par enchantement, Amber se résigna à affronter la situation avec son sang-froid et son calme habituels.

— Bonjour, inspecteur, dit-elle d'un ton glacial.

Elle n'avait jamais été aussi fière de son timbre de voix, et elle espérait seulement qu'il ne remarquerait pas ses joues écarlates.

— Amber !

Visiblement surpris, Dax s'immobilisa.

— Salut ! ajouta-t-il presque aussitôt, avec un sourire désarmant.

La jeune femme essaya de ne pas flancher sous la chaleur de son regard plein de lumière, plein de vie. Elle ne devait surtout pas s'y laisser prendre, sous peine de voir s'envoler toute sa rancœur. Et, dans le cas présent, la rancœur lui semblait être sa meilleure alliée.

— Vous paraissez terriblement occupé, ce matin, lança-t-elle d'un ton persifleur.

L'air subitement paniqué, Dax lâcha la taille de ses admiratrices.

— Il y a un problème avec Taylor ?

Flûte ! L'inquiétude qu'elle lisait sur le visage de Dax était en train de désamorcer une partie de sa colère.

— Non. Taylor va très bien.

Elle toussota. Une femme douée d'un esprit vif peut réfléchir beaucoup pendant les quelques secondes qu'elle prend pour s'éclaircir la voix. Elle devait absolument trouver une explication à sa présence ici... Et vite, puisqu'il n'était plus question de s'excuser ! Son cerveau tournait à toute allure... pour un résultat nul.

— Comme je me promenais dans le coin, je me suis dit que je pourrais passer vous dire bonjour. Alors... bonjour !

Puis, avec un sourire forcé, elle s'écarta.

— Attendez ! s'écria Dax.

Mais elle avait déjà tourné les talons.

— Amber ?

Pourquoi n'avait-elle pas chaussé des bottes de sept lieues ? Elles l'auraient emmenée loin, très loin de cet homme qui tourmentait son esprit et menaçait de lui faire perdre cette maîtrise d'elle-même si chèrement acquise. Elle l'entendit jurer derrière elle.

— Amber, attendez !

Il lui avait saisi le bras, et l'obligeait à lui faire face.

— Une simple promenade ? dit-il en secouant la tête en signe d'incrédulité. Allons, dites-moi la vérité. Quelque chose ne va pas ?

— Je vous l'ai dit : je passais par là, répéta Amber d'un petit air entêté.

96

Dax posa un regard appuyé sur ses talons aiguilles, mais ne fit aucun commentaire.

« Garde ton calme ! » se dit la jeune femme.

— Mes chaussures posent problème ? lança-t-elle d'un ton ironique.

— Pas à moi, rétorqua Dax du tac au tac, avec un sourire angélique. Très chic, ce petit tailleur.

— Merci.

— Personnellement, j'adore la jupe droite, tout comme les talons aiguilles. Cependant... ça ne me semble pas très adapté à la marche.

« De la dignité. Toujours garder la tête haute ! »

— Je vais très souvent au bureau à pied. C'est excellent pour la santé.

Dax lui adressa un long regard entendu avant de rétorquer, d'un air faussement admiratif :

— Je ne savais pas que vous vous entraîniez pour le marathon ! Si je ne me trompe pas, votre agence est à une bonne quinzaine de kilomètres d'ici.

— Je suis en excellente forme, déclara Amber sans se démonter.

Mais, à ce moment-là, son regard se porta involontairement sur les deux superbes créatures qui attendaient Dax, quelques mètres plus loin. Et, brusquement, devant leurs longues silhouettes élancées, l'aiguillon de la jalousie la transperça, et fit ressurgir toute son amertume.

— Du moins pour une femme qui vient d'avoir un enfant, précisa-t-elle.

— Cela ne fait aucun doute, répliqua Dax en examinant d'un œil amusé son chignon impeccable d'où ne dépassait pas la moindre mèche. On ne devinerait jamais que vous avez fait tout ce chemin à pied... Oh, mais qu'est-ce que je vois ?

Il désignait du doigt la voiture d'Amber, garée quelques mètres plus bas dans la rue.

— Comment diable a-t-elle bien pu rouler jusqu'ici ? Ne

me dites pas que vous l'avez dressée à vous suivre pendant votre jogging matinal !

— Très drôle.

Dax lui décocha un sourire moqueur. Elle aurait dû le savoir : en présence de ce type, inévitablement, elle perdait son sang-froid et finissait par passer pour la dernière des gourdes.

— Je suis bien contente que ça vous amuse ! lança-t-elle d'un ton hautain. Maintenant, il faut que j'y aille.

— Vous esquivez encore une fois ? Comme hier soir ?

Hier soir. Dire que c'était justement pour s'excuser de son attitude de la veille qu'elle était venue se ridiculiser. Et en public, par-dessus le marché !

— Nous en reparlerons plus tard, quand vous serez moins occupé, déclara-t-elle d'un ton cassant.

— Je peux toujours me libérer, riposta Dax à voix basse.

Puis, tout naturellement, il lui prit la main.

— Qu'est-ce qui ne va pas, Amber ? Vous ne voulez pas me le dire ?

La jeune femme découvrit alors combien il lui était difficile de renoncer au contact de cette main sur la sienne. Cette main chaude et forte qui lui donnait le sentiment d'être unique.

Subitement — comme pour sortir d'un enchantement —, elle se rappela la présence des deux pin-up qui ne devaient pas perdre une miette du spectacle.

— Vos sœurs sont venues vous rendre visite ? demanda-t-elle prudemment, soucieuse de ne pas réitérer sa bévue, quelques semaines plus tôt, à l'hôpital.

Cette fois, une rougeur coupable envahit le visage de Dax. Il jeta un coup d'œil inquiet aux deux jeunes femmes qui lui adressèrent un petit signe en retour.

— Euh... non. Pas exactement.

— Dans ce cas... je vais vous laisser, déclara Amber d'un ton glacial.

— Attendez !

Mais Amber ne pouvait pas attendre. C'était tout simplement impossible.

Dax la regarda s'enfuir.

Il hésitait. D'un côté, il devait tenir sa parole vis-à-vis de ces deux jolies filles. De l'autre, il y avait Amber Riggs et son fichu caractère !

Il jura entre ses dents. Sa décision était prise. Le devoir attendrait !

Il s'élança derrière Amber, et la rattrapa au moment où elle ouvrait la portière de sa voiture.

— Amber !

Elle lui décocha un regard furibond.

— Allons, chérie...

La jeune femme se raidit, comme sous l'effet d'un électrochoc.

— Je ne suis pas votre *chérie*, déclara-t-elle en détachant bien chaque mot. Vous devez confondre avec vos petites camarades qui vous attendent là-bas, prêtes à se pâmer devant vous.

Dax réprima un soupir agacé, et refusa de s'avouer vaincu.

— Je désire seulement que vous m'écoutiez, dit-il. Si ce n'est pas trop demander, bien sûr !

— Désolée, je suis déjà très en retard.

Bien sûr, elle était en retard. Toujours la même histoire. Pourtant... elle était venue jusqu'à lui.

— S'il vous plaît, dit-il en posant une main hésitante sur son bras.

C'était plus fort que lui. Il ne pouvait pas s'empêcher de la toucher.

Elle se pétrifia, mais ne recula pas. Dax observa son ravissant visage à l'expression indéchiffrable, et pria pour qu'elle lui laissât entrevoir, ne fût-ce qu'une seconde, ce qu'elle ressentait vraiment.

— A propos de ces femmes... Je sais ce que vous pensez...

— J'en doute ! Mais, surtout, ne vous croyez pas obligé de me dresser la liste de vos conquêtes ni de m'expliquer ce que vous faites avec ces demoiselles. Ça ne me regarde absolument pas.

— Ce n'est pas ce que vous croyez !

A ce moment-là, les demoiselles en question, probablement fatiguées d'attendre, s'approchèrent. La rousse adressa un sourire chaleureux à Amber.

— Nous l'avons gagné aux enchères, expliqua-t-elle. Il est à nous pour le reste de la journée.

— Exact, approuva la blonde en passant une langue gourmande sur ses lèvres. On peut faire de lui ce qu'on veut. C'est la règle.

Dans un parfait ensemble, elles éclatèrent de rire.

— Ces enchères ont eu lieu il y a déjà un bon bout de temps, précisa Dax, rouge comme une tomate. Mais j'ai été trop occupé pour... Eh bien, disons... pour remplir mon contrat.

Amber était loin de trouver ces explications convaincantes.

— Tous... Tous les gars de la section incendie y participent, bredouilla Dax. Ça rapporte pas mal d'argent à la brigade.

— Mais c'est Dax qui rapporte le plus, ajouta obligeamment la rousse.

— Ah bon ! lança Amber d'une voix glacée.

— Bien... Mesdemoiselles, je suis à vous dans une minute. Si vous voulez bien nous laisser un instant...

Les deux filles s'écartèrent de quelques pas en gloussant.

Dax était terriblement contrarié, et ne savait que dire. Il regarda Amber ouvrir sa portière et s'installer au volant. Calmement, elle mit le contact, puis, sans même un regard vers lui, elle lança :

— Il semble que vous ayez une dure journée devant vous, inspecteur McCall. Je vous dirais bien d'être à la hauteur, mais cela me semble inutile. Je n'ai aucun doute concernant vos capacités.

Dax réussit à sortir des griffes de Ginger et Cici à peu près indemne, en fin d'après-midi. Ignorant les messages répétés de sa secrétaire, il traversa la ville en direction du bureau d'Amber. Il n'aurait su expliquer pourquoi il éprouvait un besoin aussi urgent de lui parler. Tout ceci n'avait aucun sens, se disait-il en poussant la porte de l'agence immobilière.

A la réception, une secrétaire lui expliqua que Mlle Riggs était en communication et qu'elle avait demandé qu'on ne la dérangeât sous aucun prétexte. Comme le cerbère des lieux semblait totalement insensible à son charme, Dax se résigna à patienter. Il s'installa dans un fauteuil, bien décidé à saisir sa chance dès qu'elle se présenterait. Il n'eut pas longtemps à attendre. Il profita de ce que la secrétaire décrochait le téléphone pour s'élancer vers la porte derrière laquelle s'abritait Amber.

— Hé! cria la pauvre femme. Vous n'avez pas le droit...

Sans tenir compte de ses vitupérations, Dax ouvrit la porte et la referma soigneusement derrière lui.

Amber était assise derrière un large bureau, un stylo dans une main, le téléphone dans l'autre. Le regard insondable, chaque mèche de cheveux parfaitement en place, elle était l'image même du self-contrôle. Mais sous la glace bouillonnait la passion, se rappela Dax. Ce matin encore, il avait perçu une lueur brûlante dans ses yeux sombres. Elle était aussi folle de désir que lui.

Il lui sourit.

A sa vue, elle pinça légèrement les lèvres. Ce fut le seul signe d'exaspération qu'elle montra. Elle poursuivit tranquillement sa conversation téléphonique et, quand elle eut raccroché, elle prit le temps de refermer soigneusement le capuchon de son stylo avant de daigner lever les yeux sur lui.

— Déjà de retour? lança-t-elle d'une voix policée.

J'aurais crû que les poupées Barbie vous occuperaient plus longtemps.

— Ginger et Cici, rectifia Dax. Elles sont, effective-ment, du genre pot de colle, et plutôt persuasives, mais j'ai tout de même réussi à me sauver.

— Humm.

Amber fit mine de se remettre au travail, mais les pha-langes de ses doigts crispés sur le stylo avaient blanchi.

— Et vous, comment s'est passée votre journée? demanda Dax en s'installant sans y avoir été invité sur une chaise face au bureau.

— Chargée, répondit la jeune femme avec un regard acéré. Et je n'ai pas terminé.

Quelle bêcheuse! Dax ne se départit pas pour autant de son sourire.

— Je parie que je ne vous ai même pas manqué, dit-il sur le ton de la plaisanterie.

— Pas une seconde, confirma Amber.

Incapable de contenir son amusement plus longtemps, Dax éclata de rire.

La jeune femme le fusilla du regard.

— Si ça ne vous fait rien, j'ai pas mal de travail, et...

— Amber, avouez que vous êtes jalouse!

— Ma parole, vous avez bu! s'exclama-t-elle, frappée d'horreur.

— Désolé, je ne bois pas.

— Alors, vous êtes la proie de fantasmes, murmura-t-elle en se penchant vers lui. Pour votre gouverne, sachez que je ne suis pas d'un naturel jaloux. Et je ne suis pas non plus du style à me morfondre pour un type qui collectionne les ravissantes idiotes!

— Attention! coupa Dax, toujours souriant. Vous pour-riez bien faire partie du lot.

Là, Amber en perdit la parole. Telle une reine offensée, elle se leva, et tendit un doigt fin et manucuré en direction de la porte.

— Dehors ! souffla-t-elle.

— Alors, on perd son sang-froid ? lui lança Dax.

Sans cesser de sourire, il se leva et fit le tour du bureau.

— C'est proprement fascinant de vous voir sortir de vos gonds, mademoiselle Riggs. D'ailleurs, tout en vous est fascinant.

La jeune femme secoua lentement la tête, laissant entrevoir une réelle confusion.

— Je me demande vraiment ce que vous attendez de moi, dit-elle finalement.

— Beaucoup de choses. Mais je commencerai par ça.

Presque brutalement, il l'emprisonna dans ses bras et l'embrassa. C'était sans doute un geste fou parce que totalement irréfléchi, mais il n'avait pas pu s'en empêcher.

Il la sentit se raidir sans le repousser pour autant. Prenant ça pour un encouragement, il approfondit son baiser, et sa langue caressa, explora, savoura la bouche fruitée de la jeune femme, jusqu'à ce qu'il sentît ses mains agripper ses épaules.

— Voilà ce dont j'ai rêvé pendant toute cette satanée journée, murmura-t-il.

Sa voix était aussi âpre que ses mains étaient douces. Il les posa sur les hanches de sa compagne, et plongea ses yeux bleus dans les siens. Puis il s'empara de nouveau de ses lèvres avec avidité. Son baiser se fit exigeant. Alors, s'abandonnant à la force des émotions refoulées pendant de si longs mois, Amber enlaça l'homme qui avait réussi à se frayer un chemin jusqu'à son cœur, et lui rendit son baiser sans hésitation, avec toute la générosité dont elle était capable.

Quand, il eut recouvré son souffle, Dax prit le visage d'Amber entre ses mains.

— Ces filles ne sont rien pour moi, murmura-t-il. Mais je ne pouvais pas me dérober car elles ont payé plutôt cher le droit de passer cette journée avec l'inspecteur McCall.

Il s'interrompit pour emprisonner de nouveau les lèvres douces et pleines qui s'entrouvraient sous les siennes.

— J'aurais préféré que ce soit vous qui m'ayez gagné aux enchères, souffla-t-il. Et, même si la jalousie a parfois du bon... il était inutile de vous fâcher.

L'air abasourdi, Amber s'écarta brusquement en portant la main à ses lèvres humides, comme si elle n'arrivait pas à croire qu'elle se fût abandonnée ainsi.

— Je n'étais pas... fâchée, marmonna-t-elle en s'effondrant sur sa chaise. Je dois me remettre au travail, à présent.

Dax la dévisagea quelques instants. Elle avait besoin de se retrouver seule avec elle-même pour reprendre pied. Il en était parfaitement conscient. C'était ainsi qu'elle fonctionnait, et il ne voulait surtout pas la bousculer.

Sagement, il déposa un dernier baiser sur ses lèvres, et fut heureux de la sentir y répondre l'espace d'une seconde.

Il s'apprêtait à sortir quand elle murmura son nom. Il lui jeta un coup d'œil par-dessus son épaule.

— ... Je n'étais pas jalouse.

Tout en prononçant ces mots, elle lui offrit un sourire timide, et Dax eut soudain l'impression qu'un poids énorme tombait de ses épaules.

8.

Le soir même, Taylor sur un bras et le sac à langer sur l'épaule, Amber franchit le seuil de son appartement. Elle était épuisée. Naturellement, la sonnerie du téléphone retentit à l'instant même où elle refermait la porte. Avec un soupir las, elle laissa tomber le sac à langer à ses pieds, et décrocha.

— Reprenons depuis le début.

La voix rauque et profonde de Dax la fit tressaillir.

— Je ne comprends pas.

— Je souhaite simplement que nous repartions de zéro.

Calant le téléphone entre son oreille et son épaule, Amber ôta ses chaussures.

— A partir de quel moment ?

— Disons... à partir d'hier soir. Au fait, le dîner était bon ?

— Je suppose que je vous dois des excuses, dit Amber en installant Taylor dans son hamac. Mais, pour répondre à votre question : oui, c'était délicieux.

Elle marqua une pause.

— Je me suis même autorisée à manger votre part.

Le rire de Dax fit vibrer tout son corps.

— J'aime les femmes qui ont de l'appétit.

Au son de sa voix rieuse, Amber ne put s'empêcher de se demander si toutes les filles qu'il sauvait devenaient folles de lui. Probablement, conclut-elle. Sauf elle, bien sûr. Elle n'avait pas l'âme d'une midinette.

— Et comment s'est passée votre entrevue avec mon père? demanda-t-elle brusquement, en courbant instinctivement les épaules. Nous n'avons pas eu le temps d'en parler.

— Votre père est un égocentrique aux opinions bien arrêtées, pour ne pas dire un despote à l'esprit étroit et obtus.

— Dites-moi quelque chose que je ne sache pas.

— D'accord. Il est têtu comme une mule. Tout le portrait de sa fille !

Amber ne put s'empêcher de pouffer de rire, mais elle se ressaisit presque aussitôt. « Garde tes distances », se répéta-t-elle. Mais c'était plus facile à dire qu'à faire avec un homme aussi spontané que McCall.

Machinalement, elle caressa la joue de Taylor qui s'était assoupie.

— C'est pour ça que vous m'appelez? Pour dresser la liste de tous mes défauts?

— N'oubliez pas que j'ai trois sœurs. Je me garderai donc de dresser la liste sans fin des défauts propres aux femmes, répliqua Dax en riant. En revanche, si vous préférez, je peux établir une liste de vos qualités. Ma mémoire est excellente...

La jeune femme retint sa respiration. Le rire qu'elle réprimait disparut, brusquement remplacé par un désir fou de combler le sentiment de vide qui l'habitait — un désir qu'elle ne se sentait pourtant pas prête à affronter.

— Le passé est le passé, répondit-elle d'une voix détachée. Il est parfois préférable d'oublier.

— Pour ma part, je n'oublie jamais les moments de volupté.

— Vous ne pensez donc qu'au sexe?

— Eh bien, disons que je suis d'un tempérament plutôt... physique.

— On peut le voir comme ça.

106

— Cependant, je vous l'ai déjà dit, ce qui s'est passé entre nous était bien plus qu'une simple relation sexuelle. Laissez-moi vous le prouver.

Seigneur, sa voix aurait presque suffi à la convaincre !

— Bon, que voulez-vous, Dax ?

— Parler.

De quoi ? se demanda Amber. De leur baiser ? De sa faiblesse de cet après-midi ? Une faiblesse qui aurait pu autoriser cet homme à aller plus loin qu'un simple baiser ?

— Quel sujet de conversation souhaitez-vous aborder ? demanda-t-elle prudemment.

— Un tas de sujets. Mais laissez-moi terminer ce que je vous disais à propos de votre père, enchaîna Dax.

Immédiatement, la jeune femme sentit son estomac se nouer.

— Il voudrait faire la connaissance de sa petite-fille. Je lui ai dit que ça dépendait uniquement de vous.

— Je le lui ai déjà proposé, rétorqua calmement Amber.

— Il n'était peut-être pas tout à fait prêt. En tout cas, maintenant, il l'est.

— J'imagine que vous y êtes pour quelque chose.

— Je croyais que ça vous ferait plaisir.

C'est vrai, elle aurait dû être heureuse et... reconnaissante aussi. Au lieu de cela, elle éprouvait un déconcertant sentiment de désarroi, presque de jalousie à l'idée que Dax eût réussi en si peu de temps là où elle avait échoué lamentablement.

— J'y réfléchirai, dit-elle, consciente de son ton guindé.

— Parfait, déclara Dax avec une rapidité qui éveilla sa méfiance.

A juste titre, car il enchaîna aussitôt :

— J'ai une autre faveur à vous demander. Un peu plus délicate, celle-là !

Nous y voilà ! Dire qu'elle avait été à deux doigts de lui faire confiance ! Bon sang, comment s'y prenait-il pour l'embobiner aussi facilement ?

— Je vous avertis, commença-t-elle sèchement, il n'est pas question que vous me forciez la main pour aller voir mon père.

— Oh, il ne s'agit pas de ça ! Je voulais seulement vous inviter, vous et Taylor, à un barbecue. Demain soir, chez mes parents.

Complètement prise au dépourvu, Amber faillit s'étrangler. Elle ferma les yeux et se força à inspirer profondément.

— Pour... Pourquoi ? bredouilla-t-elle.

— Je ne sais pas. Peut-être tout simplement parce que vous êtes la mère de mon enfant.

Amber ne sut que répondre. Et le rire de Dax ponctua son silence.

— Ce n'est pas une punition ! Vous venez, vous mangez et vous vous amusez. Ça ne fait pas de mal de s'amuser de temps en temps !

— Parfois, si, marmonna Amber en se laissant tomber sur une chaise. Excusez-moi, j'ai cru... Enfin, ça n'a pas d'importance.

— Vous avez cru que j'allais vous obliger à faire quelque chose que vous ne vouliez pas.

Oui. Le silence en dit souvent plus long que les mots.

— Pour mémoire, reprit Dax, d'une voix sérieuse, cette fois, je ne ferai jamais un truc pareil.

— Ne soyez pas aussi catégorique, lui conseilla Amber. Que se passerait-il si nous étions en désaccord ?

— Que voulez-vous dire ?

— Simplement que vous attendez de moi que je fasse comme bon vous semble, précisa-t-elle sèchement.

— L'échange d'idées, le respect mutuel, vous connaissez ?

— Vous espérez me faire croire que vous allez me laisser libre de mener l'existence qui me plaît ?

— Exact ! Car, voyez-vous, même si je ne possède pas votre self-contrôle, même si je suis d'un caractère un peu vif...

108

Là, Dax baissa la voix comme pour passer au registre des confidences.

— Je promets de ne jamais vous contraindre, Amber.

— Comment pourrais-je vous croire?

— Je préférerais être en face de vous pour vous faire cette promesse... de façon à pouvoir vous toucher.

A ces mots, Amber sentit une douce chaleur l'envahir de la tête aux pieds.

— Ce... ce ne serait probablement pas sage.

— Je sais. Quand je vous effleure, quand je vous embrasse, j'entrevois celle que vous êtes réellement, et... j'adore ce que je vois.

Le souffle coupé, comme si l'oxygène lui manquait, la jeune femme ferma les yeux l'espace d'une seconde.

— Vous avez l'art de me prendre au dépourvu, dit-elle. Je ne sais jamais quoi vous dire.

— Dites seulement que vous me faites confiance. Que vous *nous* faites confiance.

— Il n'y a pas de *nous*.

Comme s'il avait perçu la panique dans sa voix, Dax rectifia :

— Je parlais de nous en tant que parents de Taylor. Quoi qu'il arrive, vous pouvez compter sur moi. Je tiens toujours mes promesses.

Jusqu'à ce jour, personne ne lui avait jamais fait de promesses, ou, du moins, personne ne les avait jamais tenues, se rappela Amber avec un petit pincement au cœur. D'une façon ou d'une autre, tous ceux sur qui elle avait compté l'avaient déçue. Sans doute avait-elle trop attendu d'eux. Depuis, elle n'attendait plus rien de personne. Elle avait traversé trop d'épreuves seule. Comment l'expliquer à Dax?

— Alors, c'est d'accord? demanda-t-il sans lui laisser le temps de réagir. Je passerai vous chercher à 6 heures, demain soir. Vous verrez, ce sera super!

Amber déglutit nerveusement, luttant de toutes ses

109

forces contre la panique qui s'emparait d'elle à l'idée d'entrer dans l'intimité de Dax McCall. Son regard se posa sur Taylor qui dormait paisiblement dans son hamac. Sa fille avait l'air si détendue... si heureuse. Avait-elle le droit de la priver d'une partie de sa famille ?

— A demain, murmura-t-elle.

Et elle raccrocha avant que Dax ait eu le temps de s'inquiéter du tremblement qui affectait sa voix.

Puis elle prit une profonde inspiration, et ferma les yeux, s'efforçant de reprendre le contrôle de ses émotions, de ses peurs... de les refouler au plus profond d'elle-même. Des années d'entraînement quotidien pour développer son équilibre intérieur et affermir sa maîtrise d'elle-même venaient de se volatiliser en une seconde à cause de la voix de cet homme... Ah, il pouvait être fier ! Dès le début, elle avait senti que McCall menaçait de déstabiliser l'univers qu'elle avait édifié avec tant de soin. Et, à présent, elle se découvrait à nouveau terriblement vulnérable...

Le lendemain soir, elle était plantée devant sa penderie, l'air terriblement perplexe. Il y avait plus d'une heure qu'elle contemplait sa garde-robe.

— Un barbecue, marmonna-t-elle. Comment s'habille-t-on pour ce genre de soirée ?

Avec un haussement d'épaules, elle enfila un jean et s'examina dans le miroir.

Trop moulant ! Près de quatre mois après l'accouchement, elle gardait encore quelques rondeurs. Elle se tourna de nouveau vers la penderie. Tous les autres pantalons étaient trop élégants pour un barbecue.

Une soirée habillée ne lui aurait pas posé autant de problèmes. Mais un dîner familial, c'était une autre affaire ! Elle n'aurait jamais dû accepter. Elle n'avait rien à se mettre !

110

— Allons, ce n'est pas uniquement une histoire de vête-ments, s'avoua-t-elle à voix basse. C'est beaucoup plus compliqué que ça. C'est l'idée même de cette soirée qui te met les nerfs en pelote.

Et voilà! C'était dit.

Son angoisse n'avait rien à voir avec l'endroit où elle allait. Le problème, c'était *celui* avec qui elle y allait.

— Maudit McCall! lança-t-elle pour elle-même.

A cet instant, la sonnette de la porte d'entrée la fit sur-sauter.

L'espace d'une seconde, La jeune femme se figea, le temps de rassembler assez d'énergie pour se jeter sur une jupe en toile bleue et passer les bras dans les manches d'un chemisier blanc. Il n'était plus temps de se laisser dominer par les événements! Elle devait retrouver sa personnalité, rétablir l'équilibre de ses émotions.

Ses cheveux, d'ordinaire serrés en un chignon sévère, bouclaient librement sur ses épaules, et lui donnaient l'air vaguement farouche — tout comme son regard sombre. Et cette rougeur subite à ses joues... Elle paraissait si jeune. *Trop* jeune.

Et ce chemisier! Seigneur, il mettait en valeur de façon totalement indécente sa poitrine rendue généreuse par la maternité.

La sonnette tinta de nouveau. Le cœur battant, Amber se précipita hors de la chambre et dévala l'escalier.

« Du calme! » se dit-elle en s'immobilisant brusquement au beau milieu du vestibule. Les yeux fermés, elle s'appli-qua à respirer profondément, lentement... à redevenir elle-même.

Parfait.

Elle ouvrit la porte.

Et, immédiatement, elle sentit les battements de son cœur s'accélérer. Il suffisait à cet homme d'apparaître pour faire voler en éclats le résultat de plusieurs années d'une discipline de fer, songea-t-elle avec colère, impuissante à reprendre le contrôle de sa respiration.

Appuyé avec nonchalance au chambranle de la porte, Dax McCall était outrageusement séduisant. Il portait un jean et une chemise du même bleu caraïbe que ses yeux. Et, quand il lui sourit, la situation devint totalement désespérée. Elle comprit soudain avec stupéfaction qu'elle ne rêvait que d'une chose : qu'il l'embrasse !

Non, non, non et non ! Ce type lui faisait perdre la tête. S'il l'embrassait maintenant, elle était fichue.

— Salut ! dit-il en souriant.

Pendant quelques secondes, son regard bleu captura celui de la jeune femme. Lentement, il se pencha vers elle, et ses lèvres effleurèrent sa joue. Puis, au prix d'un effort héroïque, il s'écarta, la laissant visiblement troublée et peut-être même frustrée, songea-t-il avec une certaine satisfaction.

— J'avais peur que vous ayez changé d'avis à la dernière minute, déclara-t-il avec un nouveau sourire.

— Euh... Non, bredouilla Amber. Je suis prête. Je... Je n'ai plus qu'à prendre Taylor.

Le sourire de Dax s'élargit.

— On dirait que vous êtes contente de me voir, dit-il, l'air manifestement ravi.

— Pas vraiment, répliqua Amber sur un ton ambigu.

— Encore un mensonge et le Père Noël va vous rayer de sa liste ! riposta Dax sans se départir de son sourire plein d'assurance. Avouez que vous aviez envie que je vous embrasse.

« Comment a-t-il deviné ? » se demanda Amber. Etait-elle donc si prévisible ? Avait-il réussi à percer les murailles derrière lesquelles elle croyait encore s'abriter ? Son regard était si brûlant, si sûr de lui.

— Vous rêvez ! protesta-t-elle sans pouvoir s'empêcher de rougir.

— Oh, ça, c'est sûr ! Vous me faites rêver ! riposta Dax en éclatant d'un rire malicieux.

Amber déglutit nerveusement.

— Je vais chercher Taylor, murmura-t-elle dans l'espoir de retrouver une contenance.

En vain. Elle restait plantée là, comme hypnotisée. Lentement, Dax baissa les yeux vers sa bouche tremblante, s'y attarda quelques secondes... avant de poursuivre son examen.

— Je ne vous avais jamais vue habillée autrement qu'en tailleur, lança-t-il négligemment. J'adore cette tenue.

Il lui saisit la main.

— Vous savez, j'ai parfois l'impression que je lis dans vos yeux. Ils sont si expressifs qu'ils vous trahissent... comme en ce moment.

Dans ce cas, il savait sans doute à quel point elle était mal à l'aise quand elle se sentait ainsi détaillée.

— Vous êtes très en beauté, Amber, ajouta-t-il en plongeant son regard malicieux dans le sien.

A l'évidence, il s'amusait de sa gêne.

— Je le pense très sincèrement, ajouta-t-il d'une voix douce comme du velours.

Et, pour une fois, elle lui fit confiance.

La maison des McCall était pleine à craquer. Les gens plaisantaient, riaient, et la sono déversait une excellente musique. Après avoir franchi le portail, Amber marqua un temps d'hésitation. Pour elle qui avait passé le plus clair de son temps à tenir les autres à l'écart — excepté, bien sûr, lors des réunions d'affaires —, la situation était assez délicate. Elle était là pour s'amuser — domaine dans lequel elle n'avait pour ainsi dire aucune expérience.

Elle espérait pouvoir se servir de sa fille comme d'un bouclier. Malheureusement, Dax s'était chargé de Taylor dès qu'ils étaient descendus de voiture, et Amber ne se sentait pas le courage d'arracher la petite aux bras de son père.

Dans le jardin, la fête battait son plein. Des enfants

jouaient, des couples dansaient, d'autres convives étaient lancés dans des discussions animées. Tous ces gens avaient l'air parfaitement heureux et bien décidés à partager un bon moment.

— Ce sont tous des parents à vous ? demanda Amber en se penchant vers Dax.

— Il y a aussi pas mal d'amis.

— C'est...

Bruyant fut le premier mot qui lui vint à l'esprit, mais c'eût été impoli.

— ... surprenant, dit-elle finalement.

— Je dois vous prévenir. La famille McCall est envahissante et extrêmement turbulente.

— Je m'en sortirai, déclara Amber avec une assurance qu'elle était loin de ressentir dans la mesure où elle n'avait aucune idée de ce qu'était une véritable famille.

Conscient de son trouble, Dax lui saisit la main.

— Ils vont vous adorer, Amber, lui chuchota-t-il à l'oreille.

L'idée de tous ces inconnus tombant sous son charme lui sembla ridicule. Tout comme elle était ridicule d'avoir accepté cette invitation.

— Vous pouvez me croire, insista Dax avec un sourire désarmant, un sourire qui la fit flancher, un sourire qu'il semblait lui réserver exclusivement. Vous êtes prête ?

— Oui... Non. Enfin... je ne sais plus.

Elle se demandait si les parents de Dax lui en voulaient, s'ils estimaient qu'elle avait piégé leur fils.

— Je ne sais pas ce que vous vous imaginez, mais la réalité sera certainement beaucoup moins terrible, affirma Dax. Pour info, ce n'est pas un peloton d'exécution !

Amber ne se dérida pas pour autant.

— Je vois. Vous ne serez pas rassurée tant que vous ne vous serez pas jetée à l'eau, ajouta-t-il en soupirant.

Puis, passant un bras autour de ses épaules, il la poussa gentiment mais fermement vers sa sœur... pour commencer.

114

— Dax ! Donne-moi ce bébé ! lança Suzette d'un air ravi. Comme elle est belle ! Nous sommes tellement contents que vous ayez accepté de vous joindre à nous ce soir ! Mon frère nous a tout raconté.

Amber jeta un coup d'œil inquiet du côté de Dax, en se demandant ce qu'il avait bien pu dévoiler de leur aventure.

Pour tout indice, l'intéressé lui adressa un sourire innocent, tout en haussant les sourcils d'un air amusé. Bref, exactement le genre de situation qu'elle détestait. Ma parole, il le faisait exprès !

— Taylor est un amour ! déclara Suzette, soudain rêveuse. J'ai hâte d'accoucher à mon tour, ajouta-t-elle en posant la main sur son ventre énorme. Mon bébé a déjà une semaine de retard !

Une jeune femme blonde, copie conforme de Suzette, s'approcha à son tour.

— Salut, frérot !

Elle embrassa Dax en se penchant par-dessus l'épaule de Suzette, puis posa un baiser sur le front de Taylor.

— Coucou, bout d'chou !

La fillette lui répondit par un joyeux babil qui enthousiasma son public.

— Passe-moi cette petite, Suzie ! ordonna la nouvelle venue. Tu vois bien que c'est moi qu'elle préfère !

— Je te présente Shelley, dit Dax à l'adresse d'Amber. Ma sœur aînée. De loin la plus tyrannique !

— Franchement, Dax, tu sais très bien que c'est *moi* le tyran dans cette maison ! lança une autre blonde, aussi ravissante que les deux précédentes.

— Amy ! s'écria Dax. Le bébé de la famille !

— Oh, c'est toi, le petit dernier ! protesta la jeune femme avec un sourire ravi, tandis qu'elle s'emparait de Taylor et posait une main affectueuse sur l'épaule d'Amber. Contente de faire enfin votre connaissance. Bienvenue chez les McCall.

Amber sentit son cœur se serrer. Elle était à la fois gênée

et très émue. En fait, cet état ne l'avait pas vraiment quittée depuis ce premier instant où Dax avait posé ses mains sur son corps... Un an, déjà.

Les hormones, se dit-elle pour se rassurer. C'était seulement une histoire d'hormones.

— Laissez-moi passer !

La femme qui se faufilait à présent pour les rejoindre arrivait à peine à l'épaule de Dax. Si les années se devinaient aux fils d'argent qui striaient ses cheveux blonds coupés court, l'éclat de ses yeux bleus, bleus comme ceux de Dax, ne s'était pas terni, et reflétait une formidable joie de vivre.

Tel un missile, elle se propulsa droit sur Taylor.

— Oh, l'adorable petit ange ! Laissez-le donc à sa grand-mère !

— Le petit ange a besoin d'être changé, déclara Dax.

— Et alors ? J'ai eu suffisamment d'enfants pour savoir comment m'y prendre !

Puis, se tournant vers Amber, elle lui adressa un sourire plein de bienveillance.

— Amber, je vous présente ma mère, dit Dax. Emily McCall. Comme vous le voyez, elle est...

— Enchantée de faire enfin votre connaissance, l'interrompit Emily. Mon Dieu, vous êtes ravissante ! Thomas ! cria-t-elle en faisant un geste vers le bel homme brun à la silhouette athlétique qui s'occupait du barbecue. Viens donc par ici faire la connaissance de la mère de ta petite-fille. Et apporte-lui une assiette, pendant que tu y es !

— Oh, non, je ne crois pas que..., protesta timidement Amber.

Mais Emily la fit taire en lui tapotant affectueusement le bras.

— Bienvenue chez nous, dit Thomas avec la même voix de velours que son fils.

Et, sans plus de façon, il passa un bras autour des épaules de la jeune femme et la serra contre lui. Abasourdie, Amber se laissa embrasser sans réagir. Elle avait uni-

116

quement conscience que cet homme la traitait comme un membre de la famille. Quelque part, elle avait envie de savourer chaque seconde de cette étreinte affectueuse, mais, en même temps, elle éprouvait l'impérieux besoin de fuir cette explosion de sentiments. Tout allait trop vite... trop loin...

— Hum... Je dois..., bredouilla-t-elle.

— Mangez, lui ordonna gentiment Emily en ignorant la panique contenue dans son regard. Vous êtes si mince ! Une maman a besoin de prendre des forces. Rien de tel qu'un bon steak. Au fait, vous allaitez la petite ?

Amber sentit le rouge lui monter aux joues. Avant qu'elle ait pu répondre, Dax intervint :

— Maman, tu avais promis !

— Eh oui, je me mêle toujours de ce qui ne me regarde pas : c'est plus fort que moi ! concéda Emily avec un sourire si chaleureux qu'Amber se sentit fondre. Il n'empêche, ma fille, que vous avez besoin de vous remplumer ! Thomas et Dax vont y remédier. Suivez-moi !

Médusée, Amber regarda tour à tour Dax et son père qui lui souriaient comme pour l'encourager. Elle ne put s'empêcher de songer à son propre père. Quelle serait la réaction du capitaine Riggs devant cette situation ? Il considérerait probablement Dax et Thomas comme des chiffes molles. Et il se serait lourdement trompé.

Les McCall père et fils possédaient l'assurance des hommes de caractère. Elle était, d'ailleurs, bien placée pour savoir à quel point Dax pouvait se montrer tenace, et combien il était difficile de lui résister.

— Est-ce que vous dormez suffisamment ?

Cette question la tira de ses réflexions.

— Les premiers mois sont épuisants pour une jeune maman, reprit Emily.

— Je vous avais prévenue qu'elle était bavarde ! lança Dax par-dessus la tête de sa mère.

— Tais-toi, garnement ! Allez, ouste ! Va donc changer la petite ! ordonna Emily, l'air faussement sévère.

117

Sur ce, elle déposa Taylor dans ses bras et prit la main d'Amber.

— Vous, chérie, vous venez avec moi !

De peur de paraître impolie, Amber n'eut d'autre choix que d'obtempérer, non sans avoir auparavant lancé un regard désespéré vers Dax qui se contenta de lui sourire. Une fois de plus, aucun secours à attendre de ce côté-là. Il s'éloignait déjà vers la maison, l'abandonnant aux mains de celle qui, visiblement, régnait en maître sur la famille McCall.

9.

Le trajet du retour se déroula dans un silence tranquille, presque confortable. Amber avait une conscience aiguë de la présence physique de Dax : chaque fois qu'il appuyait sur la pédale d'embrayage, les muscles de ses cuisses tendaient la toile de son pantalon. Sa main droite sur le levier de vitesse était si proche qu'elle aurait pu frôler son genou... La jeune femme tenta de se ressaisir en repensant à la soirée.

Son intrusion dans l'univers familial des McCall lui avait fait découvrir d'autres facettes de Dax. Espiègle et joueur avec ses neveux et nièces, il se montrait tolérant et protecteur avec ses sœurs, affectueux et respectueux avec ses parents. Il circulait entre les groupes, se mêlait aux discussions, plaisantait avec les uns et les autres tout en s'assurant que les assiettes et les verres étaient pleins. Et, durant tout ce temps, Amber l'avait observé discrètement. Puis, à un moment donné, sans prévenir, il l'avait entraînée dans un coin du jardin, et là, à l'abri des regards, il l'avait embrassée passionnément, presque rageusement. Après quoi il l'avait libérée, et s'était éloigné, la laissant seule, appuyée contre un mur, les jambes en coton.

Quel était donc cet homme capable de passer d'une sollicitude amicale à une sensualité dévorante en moins d'une seconde ? Une preuve supplémentaire qu'ils n'étaient pas faits l'un pour l'autre, se dit Amber en examinant son compagnon à la dérobée. Subitement, elle fut saisie d'une envie folle de suivre du doigt son profil accusé. Paniquée, elle détourna vite les yeux et regarda la route droit devant elle.

Aussitôt arrivée, Amber alla coucher Taylor. Quand elle regagna le salon, Dax l'attendait debout près de la cheminée. Elle s'agenouilla devant l'âtre, et entreprit de faire un feu. Lorsque les flammes se mirent à crépiter, il lui tendit la main pour l'aider à se redresser, et elle ne put faire autrement que d'accepter cette main tendue.

Alors, il l'attira vers lui avec une irrésistible douceur, et l'obligea à lui faire face. Tendrement, il replaça une mèche de cheveu brun derrière son oreille. Sous la caresse de ses doigts, la jeune femme tressaillit et tenta de s'écarter. Mais la main qui la retenait était d'une rare fermeté — une poigne d'acier dans un gant de velours.

— Lâchez-moi, dit-elle en s'efforçant de prendre un air dégagé afin de masquer son trouble.

— Parlez-moi, Amber.

— De quoi ?

— De vous.

Amber frissonna. La façon dont il la dévisageait, la façon dont il lui parlait — comme si elle était la personne la plus importante au monde — la bouleversait.

— Vous semblez très proche de votre famille, dit-elle dans l'espoir de détourner la conversation.

— C'est vrai. Ça vous étonne ?

— Non... Pas du tout. Mais vous riez, vous vous disputez, vous...

— Vous vous adorez, c'est ça ? acheva Dax.

Il avait compris. Cela s'entendait dans sa voix. Fuyant sa pitié, Amber baissa les yeux.

— Votre père est très différent du mien, reprit-il lentement, comme s'il choisissait chaque mot avec soin.

— Comme ma mère de la vôtre, probablement, souffla Amber.

— A ce propos, vous ne parlez jamais de votre mère.

— Oh, il n'y a pas grand-chose à dire, si ce n'est qu'elle a quitté le domicile conjugal aussitôt après ma naissance, confia Amber en haussant les épaules avec une fausse désinvolture acquise au cours de longues années d'entraînement et de lavage de cerveau : *ça n'a pas d'importance. Absolument aucune importance*, s'était-elle répété en boucle pendant des années.

— Dommage pour votre mère. Elle n'aura pas eu le bonheur de voir grandir sa fille.

— Oh, je me suis très bien débrouillée sans elle.

— Je n'en doute pas. Cependant, la place d'une mère est aux côtés de son enfant. Elle doit être là pour l'aider, le rassurer... l'aimer.

— Les démonstrations d'affection ont toujours été très rares chez les Riggs.

— C'est bien triste. Mais vous n'y êtes pour rien, Amber...

Dax s'interrompit. D'un geste ferme, il la prit par les épaules et la força à affronter son regard tandis qu'il poursuivait d'une voix soudain vibrante de colère contenue :

— Est-ce que vous m'écoutez, Amber ? Est-ce que vous m'écoutez vraiment ? Parce que j'ai l'impression que vous vous sentez responsable du fait qu'ils ne se soient pas montrés à la hauteur.

— Ne dites pas ça ! protesta Amber, choquée par la subite véhémence de McCall. Mon père ne m'a jamais maltraitée. Et j'ai toujours eu de quoi manger.

— Il vous a donné le minimum. La belle affaire ! Vous savez bien que ça ne suffit pas. Votre père n'a pas été à la hauteur. Votre mère non plus. Pas plus que votre fiancé... Pas plus que moi, d'une certaine façon. Parce que je n'étais pas près de vous quand vous aviez besoin de moi... quand Taylor est née.

— Vous ne pouviez pas savoir.

— Peut-être, mais je m'en veux, et cela ne se reproduira plus jamais.

Une sensation confuse étreignit Amber. C'était à la fois une sorte de soulagement — parce que Dax paraissait sérieux en disant cela — et de l'inquiétude — parce que l'idée d'une quelconque ingérence dans son existence restait pour elle un sujet d'angoisse.

— Je ne veux pas que vous vous sentiez la moindre responsabilité envers moi, déclara-t-elle lentement.

— Croyez-moi, murmura Dax, c'est bien plus que ça.

Lentement, doucement, il effleura de ses doigts la joue de la jeune femme, puis son cou, puis ses lèvres. Son regard bleu s'obscurcit quand il la sentit frissonner.

— Vous avez passé la majeure partie de votre existence auprès d'un homme qui, manifestement, ne possédait pas la clé pour ouvrir la porte de ses émotions, poursuivit-il. Mais avez-vous seulement idée de la passion qui se lit dans vos yeux en dépit de la discipline de fer qu'il vous a imposée pour vous façonner à son image?

— Je ne pense pas être d'un tempérament particulièrement passionné, répondit Amber avec un petit rire ironique qui s'éteignit presque aussitôt sous le regard pénétrant de McCall.

— Vraiment? lança-t-il en promenant son regard sur ses lèvres, puis sur tout son corps. Vous vous sous-estimez, Amber.

— Je refuse d'être la proie de ce genre d'émotions, dit-elle en tentant vainement de lui échapper, alors qu'il venait de lui prendre le menton pour l'obliger à le regarder.

— Votre père m'a confié ce qu'il pensait de votre mère, et à quel point il est effrayé à l'idée que vous puissiez lui ressembler, déclara-t-il brusquement.

— Je vois ça d'ici! s'écria Amber. Vous avez abondamment parlé de moi!

— Je mentirais en disant le contraire.

Une fois de plus, Amber tenta de se dégager en reculant d'un pas. Alors, Dax la prit par les épaules et la secoua gentiment.

— Comment faut-il vous le dire ? Vous ne serez jamais comme votre mère.

— Je... Je ne veux pas entendre parler de ma mère ! lança la jeune femme en reculant précipitamment pour échapper à l'emprise de cet homme qui s'immisçait dans ses secrets, dans ses souffrances.

Elle se heurta au mur derrière elle, et tenta de reprendre son sang-froid.

— Evidemment que je ne suis pas comme elle ! Je fais très attention. Enfin, d'habitude... parce que, avec vous...

Lentement, sans la quitter des yeux, Dax se rapprocha d'elle et appuya les mains de chaque côté de sa tête. Elle sentit son pouls s'accélérer, sa respiration se bloquer dans sa gorge.

— Vous me faites oublier que... que je dois rester vigilante, acheva-t-elle dans un souffle.

— Intéressant.

Il posa une main sur sa taille, et glissa habilement les doigts sous le chemisier pour caresser sa peau nue.

— Toujours si calme, si maîtresse de vous, chuchota-t-il. Peut-être pas tant que ça, après tout...

Soucieuse de ne pas lui donner satisfaction en cédant au raz de marée de sensations qui menaçaient de la submerger, Amber s'efforça de se concentrer sur des pensées innocentes : le rendez-vous qu'elle avait fixé à un client, l'affaire qu'elle s'apprêtait à conclure avec un important promoteur immobilier... Rien n'y fit. Elle ne pouvait faire taire ses émotions comme on referme un tiroir en désordre. Sous la caresse de Dax, elle sentait sa respiration s'accélérer.

— Se pourrait-il que vous réagissiez ? Se pourrait-il que vous éprouviez quelque sentiment pour moi ? murmura-t-il, son regard bleu obscurci par le désir.

— Dax..., gémit Amber, consciente d'avoir déjà perdu la partie.

Elle sentit la main de son compagnon descendre lentement le long de son dos, puis s'arrêter au creux de ses reins. Il l'attira contre lui... pour lui faire prendre conscience de son désir.

— Vous refusez de ressentir quoi que ce soit pour moi, dit-il d'une voix rauque. Mais moi, je ressens quelque chose pour vous, Amber. N'est-ce pas... évident ?

Eperdue, la jeune femme baissa les yeux.

— Alors ?

— Oui... Je... Je vous crois, bredouilla Amber.

— Et ça vous fait peur ?

Amber leva de nouveau les yeux sur l'homme qui la retenait captive entre ses bras. Il lui rendit son regard. Patiemment, il attendait...

— Oui. Un peu, répondit-elle dans un souffle. C'est vous... Toute cette passion, cette absence de retenue...

— Vous ne savez pas encore ce que vous voulez faire avec moi, n'est-ce pas ? Ni ce que vous attendez de moi ?

La jeune femme se contenta d'acquiescer d'un signe de tête. Puis, involontairement, elle posa les yeux sur les lèvres de son compagnon, et là, elle sut ce qu'elle voulait réellement. Au diable la peur ! Elle n'avait qu'une envie : qu'il posât ses lèvres sur les siennes.

— Vous faites des progrès, chuchota Dax. Mais je peux m'en aller si vous le souhaitez. Vous avez le choix de garder ou non le contrôle de la situation.

Complètement désorientée, Amber choisit de se taire. Alors, il se pencha vers elle et l'attira contre ses lèvres humides et douces. Partagée entre inquiétude et excitation, elle se laissa faire, mais, au lieu de lui rendre son baiser, elle le repoussa d'une main tremblante.

— Je ne suis pas... prête, bredouilla-t-elle.

Mettant de côté son désir presque douloureux, Dax hocha la tête en signe de compréhension.

— Il n'y a pas d'urgence, dit-il avec un sourire rassurant. C'est vous qui êtes au volant. Voyons où cela nous mène.

— Je ferais bien de freiner et de demander mon chemin, répliqua Amber en s'efforçant d'affermir sa voix.

— Vous faut-il un plan de route?

— Je crois que oui.

— Difficile de tout planifier, surtout quand il s'agit du cœur, murmura Dax en appuyant son front contre celui d'Amber. Vous en êtes le parfait exemple.

Et c'était vrai. Dans ses immenses yeux noirs, il lisait le désir, et cette passion qu'elle s'évertuait à combattre.

Sachant qu'il avait raison, Amber ferma les yeux comme pour se retirer en hâte à l'abri de ses défenses invisibles.

— Ce n'est pas bien de se cacher, mademoiselle Riggs.

Dax effleura de ses lèvres le coin de sa bouche, puis s'y attarda.

— Regardez-moi!

Amber obéit, puis entrouvrit les lèvres, et se serra spontanément contre l'homme dont elle attendait passionnément un baiser.

— Dax...

— Dis-moi ce que tu veux, chérie.

Pour toute réponse, elle baissa les yeux sur ses lèvres.

— Avec des mots, lui dit Dax. N'oublie pas: c'est toi qui tiens le volant.

— Tu veux que je le dise? souffla Amber.

Elle avait l'air si scandalisée que Dax en fut amusé et ému tout à la fois.

— Allons, un peu de courage! lui dit-il d'une voix taquine en appuyant la joue contre sa tempe.

La sentant brusquement résister, il l'étreignit plus fort encore, en souhaitant que sa chaleur, ou autre chose qu'il hésitait à nommer, parvînt à pénétrer en elle, à faire fondre la glace qui la paralysait.

— Dis-le-moi, Amber, insista-t-il en faisant courir ses doigts le long de son dos dans un lent et langoureux va-et-vient qui arracha un gémissement de plaisir à la jeune femme.

Comme elle s'obstinait à rester silencieuse, il s'écarta.

— D'accord. Tu as gagné, murmura-t-elle en soupirant. Embrasse-moi !

— Si tu insistes...

Lentement, comme s'il craignait de l'effaroucher, il posa les lèvres sur les siennes.

Le choc fut brutal, et cette caresse, d'abord légère, se fit exigeante, presque violente. Instinctivement, Amber s'était pressée contre Dax, et lui rendait son baiser avec une ardeur brûlante, faite de désir inassouvi, trop longtemps et douloureusement réprimé. Au moment même où leurs bouches s'effleurèrent, Dax comprit que ce baiser ne leur suffirait pas. Le désir qu'il sentait vibrer en elle alimentait le sien. Le contact de ses seins, les battements de son cœur perceptibles contre sa poitrine d'homme le rendaient fou. Il avait furieusement envie d'elle. Et il connaissait suffisamment les femmes pour savoir qu'Amber le désirait de toutes ses forces, elle aussi.

— Pas besoin de plan pour savoir où tout ça nous mène, murmura-t-il. Je peux déjà te dire que je veux aller plus loin.

Amber retint son souffle. Ses pupilles sombres étaient agrandies par le désir.

— Jusqu'où ? chuchota-t-elle.

Elle connaissait la réponse. Il voulait tout. Il voulait qu'elle abandonnât tout contrôle, qu'elle se révélât à lui sous son vrai jour.

— Tu le sais très bien, répondit-il. Mais toi, que veux-tu ?

Alors, avec une impatience mêlée de crainte et d'hésitation, elle fit courir sa main le long du torse de son compagnon.

— Des mots, Amber. Dis-le-moi avec des mots.

— Je veux...

Eperdue, elle leva les yeux sur lui.

— C'est toi que je veux. Mais je ne sais pas comment...

126

— Sommes-nous en train de parler d'un désir physique ?

Amber hocha la tête.

Venant de n'importe quelle autre femme, une telle déclaration aurait transporté Dax au septième ciel. Malheureusement, Amber n'était pas n'importe quelle femme. Et, brusquement, il sut qu'il voulait bien plus qu'une simple union charnelle. Ravalant sa déception, il se força à sourire.

— Je crois me souvenir que tu sais comment faire...

Alors, Amber se dressa sur la pointe des pieds pour lui offrir ses lèvres et nouer les bras autour de son cou. Leurs bouches s'unirent une nouvelle fois avec impatience, dans un baiser dévorant. Au contact des mains savantes de son compagnon, Amber découvrait la joie que procure la confiance. Par l'impudeur même de ses caresses, il ébranlait sa rigide ordonnance, aiguillonnait sa curiosité, provoquait chez elle un désir d'une intensité toujours croissante qui exigeait d'être assouvi. Mais, tandis qu'elle s'abandonnait contre lui, elle sentit qu'il relâchait doucement son étreinte.

— Qu'est-ce qui ne va pas ? lui demanda-t-elle d'une voix inquiète, les yeux agrandis par la surprise et la frustration.

— Je tenais simplement à m'assurer que tu étais toujours maîtresse de la situation. Je sais combien c'est important pour toi.

Il ne faisait que la taquiner, pourtant Amber fronça les sourcils et le considéra avec une expression si sérieuse qu'il en éprouva du remords.

— Je vais bien. Enfin... je crois. J'aimerais seulement que tu sois plus...

— Entreprenant ? proposa Dax en dégrafant sa jupe pour explorer la courbe de ses hanches.

Comme ses mains audacieuses glissaient quelques centimètres plus bas, sur les cuisses de la jeune femme, il poussa un grognement en se heurtant à une barrière de dentelle — les jarretelles qui retenaient les bas de soie.

Aussitôt sur la défensive, Amber se tortilla.

— Les bas sont plus confortables que les collants, crut-elle bon de préciser.

— Que Dieu en soit remercié! murmura Dax dans un gémissement.

— Et, quand ils sont en soie, ils ne filent pas comme les autres... C'est très pratique, tu sais?

Là, Dax ne put réprimer un éclat de rire.

— Tu prêches un convaincu!

— Je... Vraiment?

— Evidemment. Ça te rassure si je te dis qu'ils me rendent fous?

Il réprima un nouvel éclat de rire devant l'air incrédule de la jeune femme.

— Arrête donc de réfléchir, et laisse-toi aller... Pense seulement au plaisir que je te donne, murmura-t-il en posant les lèvres sur sa tempe.

Alors, s'agrippant à ses épaules, Amber hocha doucement la tête.

— D'accord pour voyager plus loin, mademoiselle Riggs?

— Oui, s'il te plaît, chuchota-t-elle.

— Toujours maîtresse de la situation? demanda-t-il en accentuant ses caresses, en s'aventurant sur son ventre, autour de son nombril, puis en esquissant une descente audacieuse vers ses cuisses fuselées. A ton tour de me caresser..., murmura-t-il.

Comme si elle n'avait attendu que sa permission, Amber glissa les mains sous le T-shirt de son compagnon, s'émerveillant de son corps dur et excitant. Chaque fois qu'il bougeait, elle sentait ses muscles onduler sous ses doigts.

— Peau contre peau, je te veux..., murmura Dax. Je veux te sentir tout entière, Amber.

Et, sous ses yeux emplis de désir, il ôta son T-shirt, lui arrachant un soupir admiratif.

128

— Je n'imaginais pas à quel point tu étais beau, souffla-t-elle en faisant courir son index le long de son torse, le regard empli de respect et de crainte.

— Pas autant que toi, Amber.

Il détacha d'une pichenette le premier bouton qui fermait son chemisier. Puis, les nerfs à vif, il s'attaqua habilement au deuxième, au troisième... et dénuda ses épaules.

— Amber..., ça va? chuchota-t-il en promenant sa bouche sur la poitrine de la jeune femme.

— Quoi?

Sans détourner les lèvres de ses seins qui, sous la dentelle du soutien-gorge, réclamaient, exigeaient toutes les attentions, Dax insista :

— Je te demande si tout va bien. Tu ne voulais pas basculer, rappelle-toi, chérie.

Posément, il dégrafa le soutien-gorge, se débarrassa de cette fine dentelle qui le séparait d'Amber et, enfin, posa les mains sur ses seins.

— Je ne prendrai pas plus que ce que tu voudras bien me donner.

— Je...

Elle ferma les yeux, glissa les mains autour de son cou, et se plaqua contre lui.

— Ça va. Ne t'arrête pas, murmura-t-elle. Continue, Dax, continue...

Alors, il la déshabilla en prenant tout son temps, en admirant ce corps qu'il n'avait jamais vu en pleine lumière, seulement deviné dans l'obscurité. Tendrement, il l'attira vers lui pour s'étendre sur le tapis de haute laine, devant la cheminée. Et, quand il lui ouvrit les bras, il fut stupéfait par l'ardeur qu'elle mettait à venir à lui, sans réserve. Le fait qu'une femme aussi prudente se soumît avec un tel abandon constituait pour lui un aphrodisiaque d'une puissance inconnue. Elle se livrait à lui sans restriction, comme si elle lui appartenait depuis toujours.

Depuis toujours.

Et le trouble qu'il en éprouvait n'émanait pas d'un sentiment malsain de domination, mais, au contraire, d'une tendresse si profonde qu'elle devenait presque insoutenable.

— Toujours maîtresse de la situation ? chuchota-t-il en faisant courir son index sur le corps de la jeune femme étendue à son côté.

La lumière des flammes glissait sur elle, donnant à sa peau la blancheur de l'ivoire. Sa bouche entrouverte était douce et chaude sous la sienne.

— Je te veux, Amber. Et toi ?

Pour toute réponse, elle se cambra contre lui. Son corps criait le désir qu'elle avait de lui, mais Dax voulait des mots.

— Dis-le !

Eperdue, Amber l'enlaça de ses jambes, l'incitant à plonger en elle.

— Dis-le-moi !

Son regard bleu assombri par la passion mais aussi par la détermination, il se cala entre ses jambes, et la fit gémir de plaisir. Mais, aussitôt, il s'écarta.

Amber laissa échapper un soupir de frustration. Elle hésita un bref instant avant de murmurer :

— J'ai envie de toi, Dax.

Il espérait l'entendre dire qu'elle avait besoin de lui, qu'elle l'aimait. Cependant, son corps brûlait d'un feu qu'il n'était plus en mesure de contenir. Alors, lentement, avec d'infinies précautions, il voulut la combler, lui donner de l'amour plus encore que du plaisir.

Tandis que Dax sombrait dans le sommeil, Amber garda les yeux ouverts. Elle avait été incapable de se dominer. A la faveur d'un moment de faiblesse, elle avait succombé à la chaleur, à la beauté, à la sécurité et au désir de ce corps d'homme plein de vie. Elle n'avait pas éprouvé le besoin

130

de lutter contre son moi profond. Elle avait échoué dans sa tentative de maîtriser la passion, la soif qu'il éveillait en elle chaque fois qu'elle posait les yeux sur lui. Mais cette attitude était tout sauf responsable. Elle était même dangereuse, extrêmement dangereuse. Perdre le contrôle de soi, c'était s'exposer à être balayée par des courants furieux susceptibles de vous entraîner au large. Perdre le contrôle de soi pouvait amener à tout perdre. Et, au bout de la route, elle ne devrait finalement compter que sur elle-même, quelles que fussent les promesses de Dax. Certes, pour l'instant, il disait qu'il voulait rester près d'elle, mais elle avait aussi perçu sa peur. Cette étincelle qui traversait parfois son magnifique regard bleu. Cette peur qu'elle connaissait si bien elle-même.

Il avait raison, songea-t-elle, le cœur serré. Aucune carte n'indiquait la direction à suivre quand il s'agissait du cœur.

Et, cette fois-ci, elle était perdue pour de bon.

131

10.

En s'éveillant, Dax perçut confusément la chaleur d'un corps de femme blotti contre lui. Petit à petit, il retrouva le souvenir de la nuit qui venait de s'écouler. Une nuit dont l'intense sensualité dépassait tout ce qu'il avait connu jusque-là.

Il se tourna vers Amber pour l'envelopper de ses bras. Elle dormait encore. Elle était jolie à croquer, et il ne résista pas à l'envie de s'emparer de sa bouche. Avec un soupir endormi et langoureux, elle lui rendit son baiser, et il ne put réprimer un gémissement de plaisir tandis que son corps s'enflammait tout entier. Amber s'immobilisa aussitôt.

Amusé, Dax releva la tête et la regarda soulever lentement les paupières. Avec ses boucles brunes emmêlées et ses yeux encore embués de sommeil, elle avait tout à la fois l'air sauvage et intimidé. Et, parce qu'il ne pouvait s'en empêcher, il se pencha pour caresser de ses lèvres la peau blanche et satinée de sa gorge.

— Sais-tu seulement à quel point tu es désirable ? souffla-t-il tandis qu'il taquinait de la langue la pointe sensible d'un sein.

Fermant de nouveau les yeux, Amber laissa aller sa tête sur l'oreiller. Mais quand la main de son compagnon descendit vers sa chair la plus intime, sa respiration s'accéléra. Instinctivement, elle serra ses cuisses, comme pour retenir l'instrument de cette délicieuse torture.

— Je ne vais pas me sauver, chérie, promit Dax en la dévorant de baisers et en accentuant ses caresses dans la douce moiteur de sa féminité qui l'accueillait sans réserve.

— Dax ? murmura Amber.

Ses paupières battirent.

— Chérie, tu es réveillée ? demanda Dax d'un air inquiet en se redressant sur un bras pour dévisager sa compagne.

De nouveau, un léger battement de paupières, puis...

— J'ai rêvé que nous..., marmonna-t-elle. Mais je crois bien que... ce n'était pas un rêve.

Manifestement, Amber n'était pas du matin, conclut Dax avec un sourire amusé.

— Exact, ce n'était pas un rêve, souffla-t-il contre son oreille. Des regrets ?

— Je ne sais pas... Ce genre de situation me met mal à l'aise.

— Tu n'avais pourtant pas l'air mal à l'aise, cette nuit. Tu as même exprimé un plaisir sans retenue, si j'ose dire.

Amber rougit et détourna les yeux. Mais, comme il se penchait de nouveau vers sa bouche, elle l'arrêta en posant une main sur son torse.

Avec un soupir, Dax se redressa.

— Toujours inquiète parce que tu ne comprends pas ce qui se passe entre nous.

— Quand tu dis « nous » de cette façon, ça me rend nerveuse. Et puis...

Elle marqua une pause, et, dans une expression de vulnérabilité bouleversante, elle se mordit la lèvre et murmura :

— Tu as l'air affamé... Comme si tu t'apprêtais à me dévorer.

— D'un seul coup de dents !

— Nous sommes tellement différents ! dit-elle doucement. J'ai besoin d'une pause pour réfléchir.

— Non, ce n'est pas ça. Tu cherches seulement à gagner du temps pour reprendre le contrôle de tes émotions. Pour reprendre tes distances. Et ça, ça me fait peur.

— Et moi, ce qui me fait peur, c'est la façon dont tu lis dans mes pensées.

— Et toi, quand donc réussiras-tu à me comprendre en lisant dans mes pensées ? riposta Dax en dissimulant mal son amertume.

Déconcertée par cette soudaine véhémence, Amber ouvrit la bouche pour répondre quand un cri de bébé rompit la quiétude du petit matin.

— Désolée, dit-elle. Il faut que j'aille m'occuper de la petite.

Sur ce, elle tira le drap et réussit à sortir du lit sans dévoiler un centimètre de peau.

De son côté, peu soucieux de cacher sa nudité, Dax la contempla : une allure de déesse, sensuelle, voluptueuse et en même temps guindée, empreinte d'une timidité qui décuplait ses charmes. Quelle fascinante combinaison chez une femme !

Son plaisir fut complet lorsqu'il la vit rougir sous son regard.

Assise à une table près de la baie vitrée, Amber porta une cuillère de yaourt glacé à ses lèvres. Elle s'accordait parfois une pause-déjeuner dans ce petit café voisin de son bureau. Sa journée aurait pu s'annoncer sous de meilleurs auspices, songea-t-elle avec agacement. Pour commencer, la veille, elle avait perdu une affaire, le client s'étant désisté au dernier moment sans lui laisser le temps de se retourner. Dans la panique qui s'était en suivie, elle avait totalement oublié de passer chez le teinturier, ce qui ne lui laissait guère de choix en matière de tenue vestimentaire. Son tour de poitrine ayant généreusement augmenté avec la maternité, le tissu de son chemisier tendu sur ses seins était terriblement évocateur. Elle en était donc réduite à ne pas pouvoir quitter sa veste de tailleur malgré la température presque estivale qui régnait sur la Californie en ce début décembre. Son premier client du matin avait, d'ailleurs, parfaitement cerné son problème. Elle avait dû consacrer la moitié de leur entrevue à disserter sur l'importance de *ne pas* combiner travail et plaisir.

Pour se changer les idées, elle avait finalement décidé de s'octroyer un moment de répit en commandant un yaourt glacé. Elle portait donc une cuillère à sa bouche en renversant la tête en arrière quand elle entendit une voix d'homme chuchoter à son oreille :

— La façon dont vous dégustez cette glace est proprement indécente.

Au son de ce timbre grave et sensuel, Amber frissonna et rouvrit les yeux. C'était Dax !

— N'éprouvez-vous donc aucune pitié pour tous ces pauvres hommes qui, eux, vous dévorent des yeux, mademoiselle Riggs ?

— Où est Taylor ? demanda Amber sans se démonter, heureuse de constater que rien, dans sa voix, ne trahissait son trouble.

— Maman la cajole pour nous.

Maman la cajole pour nous. C'était si intime ! C'était comme si elle faisait elle-même partie de la famille.

Nonchalamment, Dax s'assit à sa table. Il portait un jean et un T-shirt sur lequel on pouvait lire : « N'ayez peur de rien ».

— Je peux m'occuper de Taylor si tu souhaites avoir quartier libre, proposa-t-elle.

— Inutile. J'ai prévu de l'emmener en pique-nique. Tu veux te joindre à nous ?

— Tu emmènes Taylor en pique-nique ? Tu es fou ! Elle risque de se faire piquer par les fourmis, et...

— Amber, c'est toi que je veux emmener en balade !

135

répliqua Dax en riant. J'utilise notre fille uniquement comme appât.

— Oh !

Totalement prise au dépourvue, Amber porta machinalement une nouvelle cuillère de yaourt à ses lèvres. Mais elle suspendit son geste en prenant brusquement conscience du regard bleu rivé sur sa bouche. Le corps de Dax lui apparut soudain tendu comme un arc.

— Pitié, Amber ! gémit-il. Je t'en supplie : arrête de déguster ce truc comme si tu étais proche de l'orgasme !

— C'est si bon ! murmura-t-elle.

— C'est une excuse ?

— Je refuse de m'excuser auprès d'un homme incapable de penser à autre chose qu'à ce qui se passe sous sa ceinture.

Saisissant son attaché-case d'une main, son yaourt de l'autre — pas question de renoncer à sa gourmandise préférée pour McCall —, Amber se leva.

— Je retourne au bureau, annonça-t-elle avec un sourire pincé.

— Hé, attends une minute ! s'écria Dax.

Comme elle se dirigeait vers la sortie sans tenir compte de son injonction, elle l'entendit repousser sa chaise et jurer dans son dos.

Elle pressa le pas.

Ils ne s'adressèrent pas la parole tandis qu'elle traversait la rue presque en courant. Mais, quand elle entra dans son bureau et tenta de refermer la porte derrière elle, quatre-vingts kilos de muscles durs comme le roc l'en empêchèrent. Passant la tête entre le chambranle et le battant, au risque de se faire broyer le nez, Dax lui sourit.

— Je ne crois pas me tromper en affirmant que vous êtes folle de moi, mademoiselle Riggs, déclara-t-il tranquillement.

Avec un soupir exaspéré, Amber recula.

— Bon. Je te laisse entrer uniquement parce que je ne

136

supporte pas la vue du sang, dit-elle en s'effondrant sur sa chaise. Sans parler de ma secrétaire, Nancy, qui ne perd pas une miette du spectacle.

Toujours souriant, Dax referma soigneusement la porte sur lui et, l'air décontracté, posa une fesse sur le coin du bureau.

— Voyons..., dit-il en se penchant vers le yaourt qu'Amber tenait toujours à la main. Voyons si c'est aussi bon que ça en a l'air.

Lentement, sans quitter la jeune femme des yeux, il prit la cuillère et la lécha.

— Mmm. Délicieux !

Comme hypnotisée par cette bouche qui lui avait procuré de tels délices, Amber lâcha le pot de yaourt dont le contenu fut projeté sur son tailleur.

Vif comme l'éclair, Dax se précipita pour lui ôter sa veste avec un sourire canaille.

— Ne fais pas ça ! lança la jeune femme en s'agrippant à son vêtement. Je veux la garder !

— Dépêche-toi ! la pressa-t-il en réussissant à faire glisser la veste de ses épaules, malgré sa résistance. Il faut l'enlever avant que ton chemisier ne soit taché à son tour...

Il s'interrompit brusquement, la respiration coupée.

C'était plus fort que lui. Elle était irrésistible. Il avait pourtant exploré chaque détail de ce corps de sirène. Il en avait caressé, embrassé chaque centimètre. Mais cela n'empêchait pas son cœur de se serrer à la vue de ses seins qui tendaient la soie blanche du chemisier.

— Je ne voulais pas la retirer, dit Amber en croisant les bras sur sa poitrine.

Elle s'efforça de garder un visage impassible, tandis que Dax posait les doigts sur son cou, là où son pouls battait à un rythme effréné.

— Pardon, murmura-t-il. Mais ta beauté m'enlève toute faculté de penser.

— Ce qui montre, une fois de plus, à quel point nous sommes différents, déclara Amber d'une voix tremblante, en serrant ses bras autour d'elle dans un geste dérisoire de protection.

— A ta place, je ne serais pas aussi catégorique, déclara Dax.

Elle lui jeta un regard sombre, et il y lut une telle frustration qu'il ne put s'empêcher de sourire.

— La seule différence entre nous, c'est que toi, tu crois pouvoir te protéger de tes émotions en prenant simplement tes distances.

— Je ne le crois pas : j'en suis certaine ! répliqua Amber d'une voix redevenue froide et cassante — une voix qui arracha un soupir d'exaspération à Dax.

Lentement, il s'écarta de quelques pas. Il passa une main nerveuse dans ses cheveux, et déclara brusquement :

— J'aurais mieux fait de ne pas venir.

Puis, l'air profondément blessé, il marcha en direction de la porte. Au moment où il posait la main sur la poignée, Amber marmonna dans son dos :

— Excuse-moi, Dax.

— T'excuser de quoi ?

Il ne la regardait pas, mais sa voix était claire, ses mots parfaitement distincts quand il poursuivit :

— De me rendre fou ? De me faire perdre l'esprit, lentement mais sûrement ?

Piquée au vif par son ton accusateur, Amber redressa la tête.

— Excuse-moi de te décevoir parce que je ne réagis pas comme tu le souhaiterais, lança-t-elle d'une voix glaciale.

— Ce que je souhaiterais ? Tu ne le sais même pas !

— Oh, pour moi, c'est tout à fait clair : tu ne cherches qu'une... qu'une aventure !

Suffoqué, Dax s'immobilisa sur le seuil. Cette fois, il leva les yeux vers elle et la regarda intensément.

138

— C'est donc ce que tu crois ? Dans ce cas, pourquoi ne pas accepter de m'épouser et répondre, une bonne fois pour toutes, aux questions que tu te poses sur mes désirs et mes intentions ?

toutes aux questions que tu te poses sur tes véritables sentiments?

11.

Amber le dévisagea d'un air stupéfait. Et, franchement, Dax n'aurait pu l'en blâmer dans la mesure où il était tout aussi surpris qu'elle de cette nouvelle demande en mariage. Car, à la suite du refus qu'il avait essuyé, il s'était juré de ne pas récidiver.

Pourtant, au fil des jours, insidieusement, son monde avait basculé. Aujourd'hui, son rôle de père à mi-temps ne lui suffisait plus. Et puis, surtout, il avait eu le temps de mesurer l'importance des sentiments qu'il éprouvait pour Amber. Il avait également compris qu'il se servait des réticences de la jeune femme pour alimenter ses propres hésitations, pour excuser sa lâcheté face à un engagement qui remettait son existence en question.

Et maintenant qu'il avait trouvé le courage de regarder la vérité en face, il ne pouvait plus continuer à jouer au chat et à la souris. Ses sentiments étaient bel et bien là, profonds et durables. Il n'avait pas le choix : il devait les affronter. Et essayer de convaincre Amber d'en faire autant.

— Tu veux dire..., bredouilla-t-elle d'une voix incrédule. Est-ce que tu me demandes de...

— Exactement. Pour la seconde fois, je te demande de m'épouser, confirma Dax entre ses dents serrées. Et je dois dire que ton air effaré de biche aux abois ne répond pas vraiment à mon attente.

140

Immédiatement, le visage de la jeune femme se ferma. Dax la vit se replier sur elle-même.

— Je croyais t'avoir déjà répondu, dit-elle. Il n'y a rien de changé.

— Ce n'est pas une réponse, répliqua Dax, une lueur farouche et déterminée dans son magnifique regard bleu. C'est oui ou c'est non ?

— Tu es vraiment impossible ! s'exclama Amber, désarçonnée.

— Eh oui ! répliqua Dax, sans prendre la peine de cacher son irritation. C'est un fait. Je suis impulsif, émotif, hypersensible. Bref, tout le contraire du type calme. Et, pour couronner le tout, d'après tes propres dires, je suis impossible à vivre ! Pourtant, je ne souhaite qu'une chose : t'épouser et fonder une famille avec toi. Alors, tu vas répondre, nom d'un chien ?

Il n'aurait pas pu s'y prendre plus mal, et il en était tout à fait conscient. Sa stupide impulsivité avait acculé Amber dans une impasse. Cependant, il n'était plus temps de faire marche arrière.

La jeune femme, qui avait retrouvé toute sa maîtrise, ne cilla même pas quand il revint à la charge en lui demandant :

— C'est si difficile que ça de me répondre ?

— Allons, Dax, tu sais très bien que notre relation n'a absolument rien de commun avec ce que vivent la majorité des couples, déclara-t-elle d'une voix patiente, qui semblait l'exhorter à la raison.

Malheureusement, à cet instant précis, l'humeur de Dax était tout sauf raisonnable.

— Oui, je le sais ! cria-t-il. Nous nous sommes rencontrés dans des circonstances exceptionnelles, et nous avons vécu des moments rares qui n'appartiennent qu'à nous.

Comme en proie à une colère impuissante, il leva les bras au ciel. Puis il reprit d'une voix vibrante d'émotion contenue :

— Depuis ce maudit tremblement de terre, depuis ce jour où je t'ai rencontrée, je vois la vie différemment. Je pense différemment.

Impulsivement, il tendit la main vers le beau visage blême d'Amber, et lui caressa la joue.

— Et je ne regrette rien de ce qui s'est passé, poursuivit-il. Toi et Taylor, vous êtes ce qui m'est arrivé de mieux sur cette terre.

La simplicité de son aveu, la sincérité de sa voix touchèrent Amber plus qu'elle ne l'aurait voulu. Se maudissant pour sa faiblesse, elle tenta de se redonner une contenance en enfilant sa veste qui gisait sur le dossier d'une chaise.

— Toute cette histoire m'affole, marmonna-t-elle en bataillant pour fermer les boutons.

— Je ne sais pas si ça peut te rassurer, mais, moi aussi, ça m'affole.

Tout en parlant, Dax avait entrepris d'aider la jeune femme à boutonner sa veste.

— Ça ne te ressemble pas d'être aussi nerveuse, lui dit-il gravement.

— Les demandes en mariage me font toujours cet effet, répliqua Amber, le souffle court.

De son côté, Dax avait bien du mal à dominer ses émotions. Alors, au diable les doutes et l'orgueil !

— Amber...

Incapable de dire un mot de plus, il la prit vivement dans ses bras et chercha sa bouche. Mais, comme il la sentit se raidir, il relâcha son étreinte à regret.

— J'ai suffisamment de mal à rassembler mes esprits ! lui dit-elle d'une voix mal assurée en pressant ses mains sur son cœur. Si je te laisse m'embrasser, je ne réponds plus de la suite.

— Vraiment ? fit Dax, soudain plein d'espoir. Que pourrait-il bien se passer ?

— Tu le sais parfaitement.

— J'adorerais quand même te l'entendre dire.

Exaspérée, Amber leva les yeux au ciel.

— Tu sais très bien qu'il te suffit de me regarder pour me faire perdre la tête. Dans ces moments-là, je n'arrive plus à réfléchir.

— Ce n'est peut-être pas un mal ? A mon avis, tu réfléchis trop.

— Certainement. C'est mon principal défaut.

— Vas-tu te décider à répondre à ma question ?

Amber prit une profonde inspiration.

— Ce n'est pas le moment, dit-elle en se dirigeant vers la porte. J'ai besoin d'air.

Sans se laisser décourager, Dax la suivit hors du bureau. Elle s'arrêta devant le secrétariat, prit les messages que lui tendait Nancy, et les parcourut avec un soupir de lassitude. Imperceptiblement, ses épaules se voûtèrent, et un pli soucieux barra son front. Elle avait vraiment l'air à bout de forces. La secrétaire lui présenta également quelques lettres urgentes à signer. Stoïquement, Amber se saisit de la pile de papiers, et réussit même à adresser un sourire à son employée. Mais Dax, lui, n'était pas dupe.

— Mon Dieu, j'allais oublier, les Garrison ! lança soudain Nancy. Ils souhaiteraient revoir la propriété de Bellevue avec vous.

— Ils l'ont déjà vue cinq fois cette semaine !

— Je sais, mais ils insistent.

Amber poussa un nouveau soupir.

— D'accord. Dites-leur que je passerai les prendre vers 17 heures.

— Non. Dites-leur plutôt de se trouver un autre guide, s'il vous plaît, Nancy.

Après avoir prononcé cette phrase d'un ton légèrement autoritaire, Dax prit la pile de papiers des mains d'Amber, et la posa sur le bureau de la secrétaire.

— Vous en avez assez fait pour aujourd'hui, mademoiselle Riggs, ajouta-t-il. Allez, hop ! On décolle d'ici.

Interloquées, les deux femmes le dévisagèrent tandis qu'il claironnait à la ronde :

— Mlle Riggs est absente et ne sera pas de retour avant demain matin !

— Mais je n'ai pas dit que je prenais mon après-midi ! s'écria Amber qui avait subitement retrouvé l'usage de la parole. J'ai seulement dit que j'avais besoin de prendre l'air.

— Eh bien, tu vas prendre un bon bol d'air ! déclara Dax avec son plus charmant sourire — un sourire que démentait la lueur féroce qui éclairait son regard bleu. D'ailleurs, tu ne remettras pas les pieds au bureau d'ici demain matin !

Sur ces mots, il lui saisit la main et l'entraîna hors de la pièce.

— Dax... Arrête ! cria Amber en courant sur ses talons aiguilles pour se maintenir à sa hauteur. J'ai une affaire importante en cours !

— Je te crois volontiers ! dit Dax sans ralentir l'allure pour autant. Nous-mêmes étions au beau milieu d'une affaire extrêmement importante.

— Je sais, mais je ne peux pas partir comme ça...

— Et ton bol d'air ? lui rappela-t-il d'un ton sans réplique. Tu en avais un besoin si urgent que tu n'as même pas pris le temps de répondre à ma question.

Momentanément domptée, Amber pinça les lèvres et ne pipa mot jusqu'à ce qu'ils fussent sortis du bâtiment.

C'était une journée magnifique. Le ciel était d'un bleu intense. Dax songea que tout aurait été parfait si sa compagne avait réussi à se détendre pour profiter de toute cette beauté. Au lieu de cela, ses talons aiguilles claquaient sur le macadam comme une rafale de mitraillette. Il prit, cependant, le temps d'admirer son allure altière de reine offensée avant de lui crier :

— Ça t'ennuie si je t'accompagne ?

— Comme si je pouvais t'en empêcher ! maugréa Amber.

Dax accéléra le pas pour la rejoindre. Elle était un peu pâle. Une brise légère faisait onduler ses boucles brunes et jouait avec le col de son chemisier. Dax refoula son envie de la toucher en enfonçant ses mains dans ses poches.

Trois pâtés d'immeubles plus loin, ils entrèrent dans le parc. Des sentiers serpentaient entre les arbres, offrant un havre de paix aux habitants de la cité. De vastes pelouses invitaient les promeneurs à s'asseoir. Amber s'immobilisa. Dax en fit autant. Ils étaient seuls, entourés de beauté... Dans un lieu idéal pour décider de l'avenir, songea Dax.

— Bien, dit-il au bout d'un moment.

— Bien.

Il y eut un silence pendant lequel Dax se demanda s'il était possible qu'Amber fût aussi bouleversée que lui. Il eut très vite la réponse car les immenses yeux noirs de la jeune femme se remplirent de larmes.

— J'ai réfléchi à ce que... tu sais, dit-elle d'une voix enrouée.

— Tu veux dire que tu as réfléchi à l'éventualité de passer le reste de ta vie avec moi ? lui demanda Dax avec douceur. C'est ce qui te fait pleurer ?

Elle détourna les yeux.

— C'est difficile d'être seule... sans famille, sans amis. Je sais bien que tout est ma faute, mais je n'y peux rien. C'est comme ça..., dit-elle à voix basse, avant d'affronter de nouveau le regard de Dax. Et même si ton irruption dans ma vie et ta présence auprès de Taylor me font l'effet d'un véritable rayon de soleil, je ne peux pas accepter ton offre, si généreuse, si... irrésistible soit-elle.

— Pour quelle raison ?

— Nous ne sommes pas faits pour le mariage. Ni l'un ni l'autre.

— C'est ton avis, pas le mien, répliqua Dax avec un sourire patient. D'ailleurs, je ne suis pas certain que tu penses réellement ce que tu dis. Parle-moi franchement, Amber. Tu me dois bien ça.

Elle le regarda et croisa les bras. Elle semblait sur la défensive. Ses beaux yeux sombres brillaient anormalement.

— Tu veux la vérité? D'accord! En fait, j'ai l'impression que le mariage te semble la solution la plus logique à notre situation. Nous avons une petite fille que nous aimons de tout notre cœur. Nous avons décidé de nous la « partager », mais la vérité, c'est que ni l'un ni l'autre ne supportons cette existence faite de « mi-temps ». Evidemment, notre mariage résoudrait cette partie du problème.

— C'est vrai, acquiesça Dax. Et il résoudrait aussi un autre problème, encore plus délicat.

— Lequel?

— Le fait que j'aie constamment envie de toi.

— Tu...

Amber laissa sa phrase en suspens et ferma les yeux.

— Il me semble pourtant t'avoir donné l'occasion de satisfaire cette envie, finit-elle par murmurer.

A cette évocation, Dax ne put s'empêcher de sourire.

— Oui, mais ça ne me suffit pas.

Et parce que c'était la première fois qu'il se l'avouait clairement, son sourire s'évanouit, et il ajouta:

— Faire l'amour avec toi ne me suffit pas, Amber. Je veux passer toutes mes nuits avec toi. Je veux vivre près de toi. Je sais bien que notre histoire a plutôt mal commencé. Nous avons tout fait à l'envers. Mais pourquoi n'essaierions-nous pas de repartir de zéro?

— Ce n'est pas le rôle du mariage, Dax.

Amber ferma les yeux, prit une profonde inspiration, et poursuivit d'une voix tremblante:

— Excuse-moi. Ça va sans doute te paraître stupide, mais... pour moi, le mariage, c'est une histoire d'amour. Je n'y avais jamais vraiment pensé jusqu'à aujourd'hui, mais, au fond de mon cœur, je sais que si je me marie, ce sera...

— ... Par amour, acheva Dax.

— Exactement.

146

— Mais où est le problème puisque je te dis que je suis fou amoureux de toi?

— Quoi? s'écria Amber, les yeux écarquillés, en dévisageant Dax comme s'il était un extra-terrestre. Qu'est-ce que tu viens de dire?

Calmement, Dax posa les mains sur ses épaules. Elle tremblait.

— Je crois que tu m'as très bien entendu.

— Personne... personne ne m'a jamais dit ça, murmura Amber d'une voix à peine perceptible. Tu peux me le répéter, s'il te plaît?

Le cœur battant, Dax s'exécuta.

— Je t'aime, dit-il en plongeant les yeux dans les siens.

Bouche bée, le regard incrédule, Amber porta ses mains à sa gorge.

— Je ne l'ai jamais dit à aucune autre femme, précisat-il en la regardant dans les yeux, ce qui la fit frissonner davantage.

— Tu dois te tromper, dit-elle à voix basse. Tu te trompes certainement.

— Pas du tout.

— Mais tu ne me connais pas. Je ne laisse personne m'approcher, je ne suis pas...

— Amber...

Lentement, comme par peur de l'effaroucher, Dax lui caressa la joue. Ses doigts glissèrent dans ses boucles brunes. Ce geste lui semblait parfaitement naturel.

— Je t'ai aimée dès le premier jour.

— Mais moi... Moi, je ne sais pas... comment ouvrir mon cœur.

— Tu n'as qu'à essayer.

Amber porta lentement la main à sa bouche. A sa grande confusion, ses yeux s'emplirent de larmes. Elle eut l'impression qu'un grand voile flou lui cachait le vert éclatant des pelouses. Elle ne pouvait pas parler. Elle avait peur de baisser les paupières, peur de bouger. Dax lui prit la main pour l'écarter de ses lèvres, et la garda dans la sienne.

— Essaye avec moi, Amber, murmura-t-il, la gorge serrée.

— Il... Il me faut du temps, bredouilla-t-elle.

— Combien de temps?

— Je ne sais pas...

Alors, parce qu'elle tremblait comme une feuille, Dax la serra contre lui. Il se pencha et l'embrassa sur la joue, très lentement. Elle le laissa faire. Elle passa même les bras autour de sa nuque et enfouit son visage contre son épaule. Elle resta ainsi un moment, serrée contre lui, avant de relever la tête.

— Pardonne-moi, Dax, murmura-t-elle en se dégageant doucement de son étreinte.

— Ne t'en fais pas. Il arrivera ce qui doit arriver.

Tout en prononçant ces paroles, Dax sentit monter en lui un espoir insensé.

12.

Cette nuit-là, Dax attendait patiemment le sommeil quand le téléphone sonna. Il jaillit du lit comme un boulet de canon, et se rua sur le récepteur.

— Allô?

— Tout à l'heure... tu étais sincère?

C'était la voix d'Amber. Une voix hésitante, pleine de tristesse.

— Je pense vraiment ce que je t'ai dit, répondit Dax posément.

— Tu me le promets?

— Je te le promets.

Il y eut un long silence pendant lequel Dax pouvait presque entendre la respiration précipitée de la jeune femme.

— Ai-je jamais manqué à l'une de mes promesses? lui demanda-t-il doucement.

— Non.

Ce n'était qu'un murmure, mais elle semblait rassurée.

— Je dois raccrocher, à présent, dit-elle.

— Bonne nuit, Amber.

Le cœur serré, Dax s'étendit sur son lit, et essaya de se détendre. Il ne pouvait s'empêcher de songer que, de toutes les femmes avec lesquelles il avait fait l'amour, Amber était, de loin, la plus délicieuse. Et ce qu'il voulait par dessus tout, c'était réussir à lui donner le sentiment d'être aimée.

Le lendemain, à l'heure du déjeuner, Dax trouva Amber au café, attablée devant son dessert préféré. A la vue du yaourt glacé, il fit la grimace.

— Tu tiens à me faire subir ce supplice une fois de plus ?

Immédiatement, Amber arrêta de lécher sa cuillère, et lui jeta un coup d'œil méfiant.

— Non, répondit-elle finalement.

Sans lui demander la permission, Dax tira une chaise et s'assit en face d'elle. Posant le menton dans sa main, il l'examina d'un regard intensément bleu et profondément intéressé. Ce jour-là, elle portait un ravissant tailleur gris anthracite au col de velours noir.

— Je suppose qu'aujourd'hui, je ne réussirai pas à te convaincre d'ôter cette jolie veste, dit-il avec un sourire malicieux.

A sa profonde surprise, Amber éclata d'un rire joyeux.

— Je n'ai pas pu m'empêcher d'y repenser, ce matin, quand je me suis habillée, lui confia-t-elle en se penchant vers lui. J'y ai pensé comme à une sorte d'armure.

— Une armure contre quoi ?

Sans répondre, elle baissa les yeux sur son dessert, et y plongea nerveusement sa cuillère.

— Parfois, selon la façon dont tu me regardes, je me sens... bizarre, finit-elle par murmurer.

— Tu te sens bizarre, en ce moment ?

Lentement, elle hocha la tête.

— Eh bien, moi aussi, je me sens bizarre, dit Dax d'une voix grave qui avait perdu toute malice. Et cela n'a rien à voir avec ta tenue vestimentaire.

L'espace d'une seconde, Amber ferma les yeux, et Dax

n'eut aucun doute sur l'expression fugitive de désir désespéré qui s'était peinte sur son délicat visage avant qu'elle ne remît son masque.

— Le travail m'attend, annonça-t-elle soudain.

Comme elle se levait, Dax posa la main sur son bras. Elle s'immobilisa.

— Tu sais, Amber, avant d'ouvrir son cœur aux autres, il faut l'ouvrir à soi-même, dit-il doucement. Tu dois d'abord apprendre à te faire confiance.

— J'essaye, Dax. Quoi que tu puisses en penser, je t'assure que j'essaye.

Il se leva à son tour et, tendrement, lui effleura la joue du bout des doigts.

— Je sais combien c'est difficile pour quelqu'un comme toi qui n'a jamais pu se fier à personne, Amber. Mais, aujourd'hui, je suis là. Et je suis différent de ton père et de tous ceux qui t'ont déçue d'une façon ou d'une autre.

Puis il recula d'un pas, et ajouta :

— S'il te plaît, réfléchis à ce que je viens de te dire.

Amber ferma la porte de son bureau et s'y adossa un instant. Elle se sentait comme une naufragée, seule sur un youyou sans rame ni gouvernail, au milieu d'une mer déchaînée. Avec un soupir las, elle se redressa et s'avança vers sa table de travail où l'attendait une montagne de dossiers.

Elle n'était qu'à mi-chemin lorsque le sol se mit brusquement à onduler sous ses pieds. Une fraction de seconde, elle s'autorisa à penser que ce n'était qu'un effet de son imagination.

Malheureusement, non. C'était bel et bien une secousse sismique. Une secousse brève, rapide mais terrifiante. Une secousse secondaire comme en connaissait régulièrement la Californie depuis le tremblement de terre. Et, chaque fois,

Amber était terrassée par une peur panique qu'elle était totalement impuissante à surmonter. Une réaction, somme toute, assez normale, compte tenu de ce qu'elle avait vécu, se dit-elle pour tenter de se rassurer, en s'agrippant à la table, prête à plonger en dessous si nécessaire. D'ailleurs, elle n'était pas la seule à être terrorisée. Beaucoup de personnes dans la région souffraient des mêmes angoisses qu'elle. C'était tout à fait normal...

Elle entendit la porte de son bureau claquer et, soudain, Dax fut près d'elle.

— J'étais dans la rue quand c'est arrivé. Est-ce que tu vas bien ? demanda-t-il d'une voix inquiète, en l'enveloppant de ses bras.

— Je... Je vais tout à fait bien, bredouilla Amber en se serrant contre le grand corps ferme et rassurant de Dax.

— Pas la peine de faire semblant : je vois bien que tu trembles.

— Ce n'était qu'une petite secousse de rien du tout, difficilement quantifiable sur l'échelle de Richter, dit Amber d'un ton qu'elle s'efforçait de rendre léger.

Et pourtant, elle avait pleinement conscience de la respiration hachée de l'homme contre lequel elle se blottissait. Dax McCall était aussi effrayé qu'elle. Alors, elle s'autorisa à passer les bras autour de sa taille et à le serrer contre elle.

— Ne t'inquiète pas, dit-elle. Ma table de travail est suffisamment solide pour résister à un nouveau séisme.

Comme elle l'avait espéré, Dax éclata de rire.

— On tremble tous les deux comme des feuilles, marmonna-t-il en se laissant tomber avec elle sur le sol. Bon sang, je ne supporte plus ces secousses.

— Voyons, inspecteur MacCall, lequel de nous deux est censé réconforter l'autre ?

— Je ne sais pas... Je ne sais plus. Serre-moi fort, Amber.

Elle répondit à sa demande. Comme deux gamins, ils

restèrent assis par terre, dans les bras l'un de l'autre, leurs jambes emmêlées. Dax s'était mis à frotter le dos de la jeune femme dans un geste de réconfort et, petit à petit, il glissa la main sous sa veste.

Puis, d'un seul coup, leur étreinte devint sensuelle, comme chargée d'électricité. Amber releva la tête pour plonger son regard dans celui de son compagnon avant de descendre vers ses lèvres pleines et sensuelles, des lèvres qu'elle se surprit à vouloir sur les siennes.

— Ne me regarde pas comme ça! gémit Dax. C'est dangereux pour ma tension.

La jeune femme déglutit avec difficulté. Par réflexe, elle chercha en elle un signe avant-coureur de l'angoisse qui précédait ses accès de panique à l'idée de trahir la moindre de ses émotions. Mais elle ne découvrit rien d'autre qu'une bouffée de chaleur d'origine purement sensuelle. Et elle se demanda brusquement pour quelle raison elle s'évertuait à résister à l'attirance quasi magnétique qu'elle éprouvait pour cet homme, alors qu'elle n'avait qu'une envie : revoir des éclairs de passion jaillir de ses yeux bleus, sentir de nouveau ses mains sur elle, savourer son pouvoir sur lui. En un mot, le provoquer.

Comme hypnotisée et dépossédée d'elle-même, elle glissa les bras autour de son cou.

— Tu sais ce que tu fais, Amber? murmura Dax.

Pour toute réponse, elle l'attira doucement vers ses lèvres.

A cet instant, la porte du bureau s'ouvrit.

— Oh, excusez-moi! s'exclama Nancy, stupéfaite.

Etait-elle choquée? C'eût été normal car ce n'était pas tous les jours qu'une secrétaire trouvait sa patronne étendue par terre dans les bras d'un homme.

— Pardon. J'aurais dû frapper, dit-elle en refermant vivement la porte derrière elle.

Clouée sur place, les yeux écarquillés, Amber poussa un gémissement horrifié.

— A voir ta tête, on dirait que tu es plus traumatisée par l'intrusion de ta secrétaire que par un tremblement de terre, lui dit Dax avec un soupir de frustration.

— Seigneur, quand je pense au mal que je me suis donné pour mériter le respect de mes collaborateurs ! Et il aura suffi d'une fraction de seconde pour réduire tous mes efforts à néant !

— Relax ! Ce n'est pas si dramatique !

— Facile à dire quand on est un homme dans un monde d'hommes ! Ce n'est pas toi qu'on va juger sur les apparences !

— Toi non plus...

— Bien sûr que si ! Je travaille dans une agence extrêmement compétitive. Un seul faux pas et je suis fichue.

— Je vois. Et tu considères comme un faux pas d'être surprise dans mes bras ? C'est vraiment flatteur ! Je te remercie.

La voix soudain cassante de Dax fit tressaillir la jeune femme. Elle l'avait blessé. Elle n'aurait su dire s'il était en colère, triste, ou les deux à la fois.

Ce soir-là, quand Dax ramena Taylor, il ne fit aucun effort pour entamer la conversation avec Amber. Il demeura un long moment immobile sur le pas de la porte, tenant sa fille dans ses bras.

— Je t'aime, bébé, murmura-t-il avec un sourire teinté d'amertume.

Amber sentit son cœur se serrer.

— Entre un moment, lui proposa-t-elle d'une voix qu'elle espérait détachée.

Dax déclina l'invitation d'un bref signe de tête. Comme pour prouver sa détermination, il resta sur le seuil tandis qu'il lui tendait le sac à langer. Amber lui en voulut pour ce comportement.

Bien sûr, elle savait qu'il devait retourner travailler. Depuis le début de la soirée, les chaînes télévisées diffusaient les images d'un terrible incendie qui faisait rage dans un immeuble du centre-ville. Des dizaines de personnes étaient restées piégées dans leur appartement, et les brigades de secours étaient visiblement dépassées par la violence de l'incendie. Et, bien que ce ne fût plus de son ressort, Dax avait été réquisitionné pour ses compétences en matière de lutte contre le feu.

Mais la jeune femme n'était pas dupe : l'attitude distante et froide de Dax n'avait rien à voir avec cet incendie. Elle était seule responsable.

— Sois prudent, murmura-t-elle.

— Ne t'inquiète pas, marmonna-t-il en donnant un dernier baiser à Taylor avant de partir.

— Dax.

Il se retourna lentement. Amber était extrêmement mal à l'aise ; elle cherchait désespérément ses mots. Des mots pour lui faire comprendre... Lui faire comprendre quoi, au fait, quand elle-même ne comprenait pas ce qui lui arrivait ?

— Rien, murmura-t-elle.

Durant tout le reste de la soirée, la jeune femme fit de son mieux pour ne pas penser à lui. Elle baigna Taylor, lui lut des histoires — bien qu'à cet âge-là, la fillette fut nettement plus encline à mâchouiller les pages des livres qu'à s'intéresser à leur contenu.

Quand Taylor fut endormie, Amber essaya même d'étudier le dossier d'un nouveau programme immobilier. Mais rien n'y faisait. Rien ne pouvait détourner ses pensées de McCall... de son visage, de son sourire, de son regard.

Dans une ultime tentative pour se détendre, elle alluma la télé. Et là, elle se figea. L'incendie faisait la une de l'actualité sur toutes les chaînes. Il n'avait pas encore été maîtrisé, et des malheureux étaient toujours bloqués dans les étages supérieurs de l'immeuble transformé en brasier.

Connaissant Dax, Amber ne doutait pas une minute qu'il fût en première ligne.

Rivée à l'écran, elle perdit toute notion de temps, et se mit à se ronger les ongles comme lorsqu'elle était gamine. Et, quand le toit de l'immeuble en feu s'effondra, elle tomba à genoux devant la télé, l'estomac tordu par l'angoisse.

Trois pompiers étaient portés disparus.

Durant ce qui lui parut une éternité, elle attendit... attendit que l'identité des trois hommes fût connue. Puis, n'y tenant plus, elle bondit sur ses pieds et se rua sur le téléphone à l'instant même où il se mettait à sonner.

— Chérie, Emily McCall à l'appareil.

— Oh, j'allais vous appeler ! s'exclama Amber. Puis-je vous confier Taylor pour la nuit ? Il faut que je descende en ville.

— Amber, écoutez-moi...

— Je dois y aller. Il faut absolument que je sache...

— Tout va bien, chérie. Il est sain et sauf. C'est pour ça que je vous téléphone.

Sous l'effet du soulagement, Amber crut qu'elle allait s'étouffer.

— Vous... Vous êtes... sûre ? balbutia-t-elle.

— Thomas est sur les lieux depuis le début des opérations. Il vient de m'appeler.

Les jambes en coton, Amber s'effondra sur le canapé. Dax était vivant. Elle avait eu si peur de le perdre...

— Je me suis fait un tel souci, poursuivit Emily, la voix brisée par l'émotion. Et, à vous entendre, je crois que vous n'êtes guère en meilleur état que moi.

— Oui. Il... Nous... Enfin..., bredouilla Amber en tentant de reprendre une respiration normale. C'est tellement terrible de ne pas savoir... Taylor a besoin de lui. Et... Et moi aussi.

Sous l'effet de la peur, la vérité lui avait échappé.

— Nous ne pouvons que nous réjouir d'être tous ensemble, conclut simplement Emily.

A ces mots, Amber sentit sur ses épaules le poids du remords. Elle avait privé Taylor de son père pendant les premiers mois de sa vie. Ces moments si précieux, elle les leur avait volés à tous les deux. A présent, elle s'en voulait terriblement, d'autant plus que son obstination à vouloir rester seule lui semblait dénuée de sens.

— A propos, je voulais vous demander, reprit Emily. Vous et Dax, avez-vous décidé de...?

— Décidé quoi? demanda machinalement Amber.

— Oh... Je ne voudrais pas être indiscrète, dit Emily en baissant la voix, comme sur le ton de la confidence. Vous savez, je mets un point d'honneur à ne pas me mêler de la vie de mes enfants!

Si Amber n'avait pas été sous le choc, elle aurait probablement éclaté de rire. Ce n'était un secret pour personne : Emily était tout, sauf une mère effacée!

— Cela dit, j'espérais que vous auriez quelque chose à m'annoncer, poursuivit Emily sans se démonter. Je pensais que, peut-être, Dax et vous alliez... je ne sais pas... vous marier, par exemple?

— Madame McCall!

— Non, non, s'il vous plaît, continuez à m'appeler par mon prénom!

— D'accord. Emily...

— Ou mieux, appelez-moi maman!

Amber sentit alors que la situation lui échappait.

— Excusez-moi, dit-elle, mais nous n'en sommes pas là.

— Quoi? Il ne vous a pas proposé de l'épouser? lança Emily d'une voix indignée. Oh! J'étais loin de penser qu'il était aussi...

— Non, non. Ce n'est pas ce que vous imaginez.

Comment lui expliquer que c'était elle, Amber Riggs, qui avait tout gâché?

157

— Ce n'est pas sa faute, acheva-t-elle dans un souffle.

— Alors, c'est vous qui ne voulez pas de lui?

— Oh, c'est plus compliqué que ça. C'est assez difficile à expliquer...

— Mon Dieu, bien sûr! Où avais-je la tête? Je suis là à vous questionner alors que vous ne supportez peut-être pas l'idée d'avoir une belle-mère comme moi...

Malgré sa gêne, Amber ne put réprimer un sourire. Décidément, Emily McCall aurait fait une excellente femme d'affaires. Elle était tenace et n'hésitait pas à jouer sur le registre des sentiments.

— Je vous apprécie beaucoup, Emily, affirma Amber avec sincérité. Simplement...

— Vous ne vous considérez pas encore comme un membre de notre famille, termina Emily avec un soupir de déception.

— En tout cas, Emily, je trouve que vous êtes une femme formidable.

— Vraiment?

Le plaisir avait déjà remplacé l'amertume.

— Vraiment, répéta Amber, elle-même surprise de pouvoir exprimer ses pensées aussi facilement. Je trouve merveilleux l'amour que vous portez à vos enfants.

— Je suis comme toutes les mères.

Sans doute était-ce à cause de l'heure tardive et du trop-plein d'émotions, mais, pour la première fois, Amber admit la vérité.

— Non, pas comme toutes les mères. Du moins pas comme la mienne.

— Ma pauvre chérie, murmura Emily.

Et, curieusement, Amber ne fut pas effarouchée par la sympathie qu'elle perçut dans la voix de son interlocutrice. Au contraire, elle se sentit encouragée à aller un peu plus loin dans la découverte d'elle-même.

— J'ai souvent rêvé à la mère que j'aurais voulu avoir, reprit-elle. Et je crois qu'elle vous aurait ressemblé.

— Oh, chérie, vous allez finir par me faire pleurer!

— Ne dites pas ça! s'exclama Amber en riant malgré les larmes qui lui montaient aux yeux. Sinon, je vais vous imiter. Et, après la frayeur que nous avons eue, j'ai bien peur de ne pas pouvoir m'arrêter.

— Ne vous faites pas tant de souci pour mon fils. C'est un garçon prudent. Et, quand il fait quelque chose, il le fait à la perfection.

« Comme son rôle de père », songea Amber. Mais, en tant qu'époux, serait-il aussi parfait? A cette seule pensée, elle sentit tout son corps envahi par une vague de chaleur.

— Ma pauvre enfant, entre le bébé, le travail et tout le reste, vous ne devez plus savoir où donner de la tête, poursuivit Emily. Difficile de penser au mariage dans ces conditions.

— Je croyais que vous n'étiez jamais indiscrète!

— On dirait que vous commencez à me connaître! s'esclaffa Emily.

Puis sa voix se fit brusquement sérieuse.

— Chérie, amenez-moi Taylor et courez vite rejoindre mon fils.

Finalement, Amber décida d'emmener Taylor avec elle. Dax serait probablement heureux de voir sa fille. Il ne ratait jamais une occasion de la câliner. Et puis, surtout, la jeune femme éprouvait le besoin de serrer contre elle le petit corps chaud de son enfant. Ce petit corps plein de vie qui lui rappelait que, quoi qu'il pût arriver, elle n'était plus seule...

Au moment d'introduire la clé dans la serrure, Amber suspendit son geste. Un mois plus tôt, Dax avait insisté pour lui confier une clé de sa maison. Afin de parer à tout imprévu, avait-il expliqué. Elle avait fini par l'accepter, tout en se jurant bien de ne jamais s'en servir. Mais, ce soir, tout était différent...

Moins d'une minute après qu'elle eut franchi le pas de la porte, la jeune femme entendit une portière claquer : c'était Dax qui rentrait. Elle s'approcha de la fenêtre et, les nerfs à vif, le vit descendre de voiture, tête basse, les épaules voûtées. Il ouvrit la porte d'entrée. Puis, comme s'il avait senti sa présence, il s'immobilisa sur le seuil et releva lentement la tête.

13.

Longtemps, ils restèrent là, immobiles, regards enchaî-
nés, et, en cet instant, Amber aurait donné tout ce qu'elle
possédait pour lire dans le cœur de Dax. A quoi pensait-il ?
Etait-il contrarié de la trouver chez lui ? Regrettait-il de lui
avoir donné une clé ? Pourquoi ne disait-il rien ?

— J'espère que tu ne m'en veux pas, murmura-t-elle.
Je... je me suis servie de la clé que tu m'avais donnée.

Avec un soupir, Dax referma la porte, puis il ôta sa veste
de pompier et la laissa tomber à ses pieds.

Embarrassée, nerveuse, Amber fit quelques pas vers lui.

— Taylor est là, dit-elle d'une voix incertaine.

Elle avait l'impression d'être une intruse dans cet univers qui était celui de Dax. Elle se sentit soudain infiniment
vulnérable. Malheureuse comme la petite fille qui se
cachait derrière le masque d'Amber Riggs. Et, comme une
petite fille, elle mit les mains derrière son dos, puis ajouta à
mi-voix :

— Ta maman avait proposé de garder Taylor, mais j'ai
pensé que tu serais content de la voir.

Toujours silencieux, Dax se frotta la nuque et poussa un
nouveau soupir.

— Si tu es fatigué, je peux partir, murmura Amber,
complètement désemparée.

Alors, Dax s'adossa au mur derrière lui, et croisa les

bras. Son visage était blême, ses yeux bleus injectés de sang, et son grand corps si puissant ne semblait tenir debout que par miracle.

— J'ai l'impression que tu viens à peine d'arriver, dit-il froidement. Je me trompe ?

Amber fit non de la tête. Puis il y eut un nouveau silence. Un silence oppressant. Fuyant le regard pénétrant de Dax, la jeune femme baissa les yeux sur ses mains qu'elle croisait et décroisait nerveusement sans s'en rendre compte. N'y tenant plus, elle expliqua d'une voix à peine audible :

— Je suis restée scotchée devant la télévision toute la soirée.

Dax hocha lentement la tête, se frotta les yeux, mais ne dit mot.

— Quand le toit s'est effondré, reprit Amber dans un souffle, tous ces gens... ces pompiers... qui ont disparu dans les flammes...

Bouleversée, elle s'interrompit. Et quand elle vit les larmes briller dans les yeux de Dax au souvenir des horreurs de la nuit, son cœur se serra. Un instant, elle espéra qu'il allait lui tendre les bras pour y puiser un peu de réconfort. Mais il n'en fit rien. Il l'avait à peine regardée, et il n'avait pas paru franchement ravi de la trouver chez lui.

— Bon, il est temps que je me sauve, déclara-t-elle soudain en lui tournant le dos avec une brusquerie qui cachait mal sa détresse.

— J'aimerais tout de même savoir pourquoi tu es venue, dit Dax d'une voix lasse.

Amber se retourna brusquement, comme piquée au vif.

— Je... Je pensais... Je voulais simplement être là, bredouilla-t-elle.

Alors, Dax s'approcha d'elle. Son visage était pâle, mais ses yeux brillaient d'un éclat nouveau.

— Tu te mets à bégayer, maintenant ?

— Je... je ne... ne bégaye pas. Enfin... pas en temps normal.

162

Elle se mordit la lèvre. Elle paraissait complètement déboussolée. Dax lui prit la main et la leva à hauteur de ses yeux.

— Tiens, ça aussi, c'est nouveau. Voilà que tu te ronges les ongles !

— Ça... Ça ne m'était pas arrivé depuis... longtemps.

— Que se passe-t-il, Amber ? Je ne t'ai jamais vue aussi nerveuse.

— Nerveuse ? répéta la jeune femme, l'air incrédule.

Et, soudain, elle sentit ses défenses voler en éclats.

— Mais tu ne te rends pas compte que j'ai failli devenir folle ? cria-t-elle dans une explosion de colère.

— Je ne faisais que mon boulot.

— Je sais. Je *sais* ! Ce n'est pas de ça que je parle !

— Alors, de quoi parles-tu ?

— De mon inquiétude. De mon angoisse épouvantable. Ça te va ?

Dax laissa échapper un long soupir, comme si la tension accumulée au cours des dernières heures se libérait doucement pour faire place à une pression d'une tout autre nature.

— Oui, murmura-t-il. C'est exactement ce que je voulais t'entendre dire.

— Et je suppose que tu seras ravi d'apprendre que mon cœur s'est arrêté de battre quand je t'ai cru blessé, ou pire encore ! s'écria Amber, incapable de se maîtriser.

Dax la dévisagea, les yeux brillants d'émotion. Doucement, il effleura sa joue, ses lèvres. Puis, avec un soupir de profonde satisfaction, il la prit dans ses bras et la serra contre lui.

— Exact. Je suis positivement ravi de l'apprendre, dit-il avec un petit rire.

— Ton orgueil est satisfait, c'est ça ? marmonna-t-elle.

— Pas du tout ! répondit Dax. Ça n'a rien à voir avec l'orgueil. Je trouve seulement stupéfiant que tu te fasses du souci pour moi. J'en déduis que je compte un peu pour toi.

Amber déglutit difficilement, puis se décida à avouer ce qu'elle s'efforçait de nier depuis des mois.

— Tu comptes énormément pour moi, Dax. Tu comptes tellement... que ça me fait mal. Tu me crois ?

Il fit oui de la tête, et la serra plus étroitement dans ses bras en frottant tendrement sa joue contre la sienne. Puis il ferma les yeux, et enfouit la tête au creux de son épaule.

— Ce soir, il y a eu vingt-deux victimes dont six enfants, murmura-t-il. Une petite fille de l'âge de Taylor... Et c'est moi qui ai dû l'annoncer à sa maman.

Amber ressentit l'angoisse de Dax comme étant la sienne.

— Tu as fait ce que tu as pu, lui dit-elle. C'est-à-dire le maximum, j'en suis sûre.

Dax étouffa un sanglot. Et Amber en eut le cœur serré. L'homme le plus fort, le plus héroïque qu'elle eût jamais rencontré pleurait dans ses bras, et elle ne savait comment le consoler. A cet instant, elle aurait tout donné pour alléger sa souffrance, pour le protéger, pour que rien ne le blessât plus jamais. Pendant un long moment, elle continua à le serrer contre elle, à le bercer, tout en absorbant sa chaleur et sa force.

Le cri de Taylor les arracha à leur étreinte.

— Laisse, j'y vais, murmura Dax. J'ai besoin de la voir.

Amber le suivit dans le bureau aménagé depuis peu en chambre d'enfant. Le berceau trônait entre un bureau de chêne et un canapé de cuir, tous deux couverts de peluches, de jouets et de brassières fraîchement repassées.

Taylor s'était déjà rendormie, couchée sur le ventre, le pouce dans la bouche.

Immobile près du berceau, la main posée sur le dos de sa fille, Dax paraissait à la fois si heureux et si triste que son beau visage en était poignant. Prudemment, en prenant garde à ne pas la réveiller, il se pencha sur Taylor et effleura d'un baiser le fin duvet au sommet de son crâne.

Lentement, il se redressa et se tourna vers Amber qui

observait la scène, le cœur serré. Durant quelques secondes, il plongea son regard bleu dans le sien. Un sourire triste apparut sur ses lèvres.

Puis, sans un mot, il quitta la pièce.

Déconcertée, Amber le suivit le long du couloir jusque sur le seuil de sa chambre. Sans prendre la peine d'allumer la lampe, il retira son T-shirt. Un instant, elle le contempla en silence, indécise, ne sachant si elle devait lui parler ou s'en aller. Immobile au milieu de la pièce, il restait silencieux.

— Dax ?

— Je vais bien, dit-il d'une voix dépourvue d'émotion. Ne te crois pas obligée de rester.

La pièce était dans la pénombre, si bien qu'elle ne pouvait pas voir son visage. Mais ce n'était pas nécessaire... Pas besoin de lumière pour comprendre le vide immense qui l'habitait.

— Tu veux que je m'en aille ? demanda-t-elle doucement.

Dax eut un rire bref et plein d'amertume.

— Pas vraiment, répondit-il. Mais je sais combien le simple fait de partager mon intimité t'effraie et, ce soir, je suis trop crevé pour lutter contre tes peurs.

— Mes peurs... Dax, elles sont toujours là, et je n'y peux rien, expliqua Amber d'une voix hésitante. Cependant... ce que j'éprouve pour toi, je ne l'ai jamais éprouvé pour personne d'autre.

Et voilà, la vérité était lâchée. Elle ferma les yeux et prit une profonde inspiration avant d'ajouter :

— Je ne nie pas ce qui existe entre nous, seulement... nous sommes tellement différents... Aussi différents que le jour et la nuit. Avec toi, j'ai l'impression d'être constamment dans l'émotion. Et ça, je ne peux pas me le permettre. Pas après toutes ces années, tu comprends ?

— Amber, je comprends ce que tu ressens. Je comprends tes réticences. Je comprends que cette maîtrise de tes émotions soit devenue une question de survie, dit Dax avec un haussement d'épaules fataliste. Mais je sais aussi que, quel que soit mon désir pour toi, jamais je ne serai conforme à l'idée que tu te fais de l'homme idéal. Un homme moins excessif, moins passionné. Quelqu'un qui ne bousculerait pas tes sentiments. Quelqu'un qui ne détruirait pas ces barrières invisibles derrière lesquelles tu te réfugies.

Il y avait de la douceur dans sa voix, mais aussi de l'amertume et du regret. Il se détourna. Dans une attitude empreinte de lassitude, il s'allongea sur le lit, un bras posé en travers de ses yeux.

Incapable de détourner le regard de cet homme magnifique étendu dans la pâle clarté de la lune, Amber restait figée sur le seuil de la chambre. Dax l'avait définitivement fait basculer dans un autre monde. Un monde où sa perspective des choses était complètement faussée. Un monde où elle doutait de son propre jugement. Devait-elle prendre le risque de s'abandonner à ses émotions ? De croire en lui ? De l'aimer jusqu'à en souffrir et de préférer cette souffrance au vide, au néant qui lui était devenu si familier qu'elle n'en avait même plus conscience ? Etait-il trop tard ? Aurait-elle le courage de trouver les mots ?

— Dax...

Pas de réponse. Manifestement, la fatigue avait eu raison de lui.

Comme attirée par une force irrésistible, Amber s'avança lentement jusqu'au lit. Elle se pencha sur Dax et, timidement, posa les mains sur son torse. Le contact de sa peau contre la sienne était si doux qu'elle ne put s'empêcher de fermer les yeux pour savourer cet instant.

Soudain, les mains de Dax emprisonnèrent les siennes. Avec un cri de surprise, elle bascula sur le matelas.

— Si tu tiens vraiment à passer la nuit à me regarder dormir, marmonna-t-il sans même ouvrir les yeux, alors, tu ferais mieux de t'allonger à côté de moi.

Ce furent ses derniers mots avant qu'il ne plonge dans un profond sommeil.

Blottie dans la chaleur de ce grand corps si fort et si tendre, Amber se mit à contempler les ombres changeantes de la nuit qui se promenaient sur le plafond. Elle savourait pour la première fois de sa vie cette paix que seule la confiance en l'autre peut apporter. Puis, à son tour, elle s'endormit.

Elle rêvait. Elle rêvait qu'ils faisaient l'amour... Elle pouvait sentir son corps nu et tiède plaqué contre le sien, peau contre peau...

Elle rêvait de ses mains : elles effleuraient son ventre pour venir caresser ses seins, puis redescendaient le long de sa jambe, s'attardaient sur sa cuisse...

Elle rêvait qu'elle le caressait, elle aussi. Sous ses doigts, elle sentait chacun de ses muscles tressaillir. Et, dans ses yeux si bleus, elle lisait la passion, l'émerveillement, la crainte et... Mon Dieu !

Ce n'était pas un rêve.

— On dirait que tu es réveillée.

Incertitude et résignation traversèrent le regard bleu qui était posé sur elle.

Confuse, Amber prit brusquement conscience qu'elle était enroulée autour de Dax comme une liane autour d'un arbre.

— Tu as dû bouger pendant ton sommeil, marmonna Dax.

Manifestement, il s'attendait à ce qu'elle s'écartât précipitamment. Mais il avait tort.

— Caresse-moi, Dax.

— Ça ne changera rien à notre problème, chérie... Tu l'as dit toi-même : nous sommes tellement différents...

Il s'interrompit. Amber s'était emparée de ses mains et les faisait glisser sur sa taille, sur ses seins...

— Amber, murmura Dax dans un effort héroïque pour garder le contrôle de la situation. Tu es adorable, mais...

— Tais-toi, tu parles trop, répliqua-t-elle en posant ses lèvres sur sa bouche.

Ce fut d'abord un baiser léger comme une plume, puis il devint exigeant, possessif et tendre. Avec un soupir torturé, Dax répondit à l'ardeur de sa compagne. Sa langue pénétra lentement, langoureusement dans la bouche qui s'offrait à lui. Comme s'il avait lu dans ses pensées, dans ses rêves, il se mit à caresser la jeune femme, à allumer des brasiers dans son corps.

— Où sont passés nos vêtements ? marmonna-t-elle, tandis qu'il délaissait sa bouche pour promener ses lèvres chaudes le long de son cou, puis sur ses seins dont il taquina les pointes.

Réprimant un gémissement de pur plaisir, Amber se plaqua contre son ventre dur, puissant, palpitant.

— On a dû les retirer cette nuit sans s'en rendre compte, répondit Dax en poursuivant son vagabondage sensuel.

Sa langue imaginative et gourmande s'égarait sur l'épaule de la jeune femme, s'aventurait sur son ventre, autour de son nombril, esquissait une descente audacieuse vers le triangle de ses cuisses, avant de reprendre possession de ses seins jusqu'à rendre la torture insoutenable. Comme elle creusait les reins pour l'accueillir dans sa chair, il s'esquiva et, délicatement, lui ouvrit les jambes.

Elle murmura son nom — ce fut un murmure partagé entre inquiétude et désir.

— Chhhhut..., souffla-t-il, tout contre ses cuisses.

Elle retint sa respiration quand il se lova entre ses jambes, savourant le nid de sa féminité. Sous la caresse subtile, Amber sentit le feu s'emparer de son ventre pour se répercuter dans tout son corps en ondes de jouissance. Et tout ce qu'elle pouvait faire, c'était se laisser consumer. Le souffle court, le cœur battant la chamade, elle crispa ses doigts sur les épaules de celui qui la conduisait à l'extase. Toujours plus loin... Toujours plus haut... jusqu'à ce que son corps se tordît sous le choc d'une vague de désir profonde et violente.

168

Puis, tout s'apaisa peu à peu. Relevant les paupières, elle croisa le regard bleu brûlant de passion de son amant. Elle savait qu'il ne demanderait rien en retour. L'égoïsme n'avait pas sa place dans le cœur de Dax McCall. Il lui en avait fallu du temps pour comprendre...

Alors, elle renversa les rôles. Lentement, timidement, elle entreprit de torturer à son tour le corps de celui qui avait su briser sa carapace de glace pour déchaîner le volcan qui était en elle. Et quand son amant se renversa en arrière, les traits tirés par le plaisir, elle redressa la tête pour supplier dans un murmure à peine audible :

— Aime-moi, Dax...

Alors, il fit ce qu'elle lui demandait. Il enchaîna son regard au sien, la fit rouler de nouveau sous lui, et entra en elle, la possédant tout entière dans une totale communion.

Ils restèrent enlacés, sans force, épuisés, leurs corps luisant de sueur soudés l'un à l'autre. Amber enfouit son visage dans l'épaule de Dax, et respira son parfum, tout en pensant aux nuits de torture qu'elle avait passées sans pouvoir le chasser de son esprit. Puis, s'émerveillant d'avoir retrouvé la paix, elle sourit tandis que le sommeil la gagnait.

Un long moment après qu'elle se fut endormie au creux de son bras, Dax garda les yeux rivés sur son visage détendu. Sa respiration calme et régulière témoignait de son total abandon. Il prit le temps de se délecter du spectacle de ce corps aux courbes féminines, rondes et fragiles, qui le rendait fou de désir. Il avait l'impression qu'il n'aurait jamais son content, qu'il ne serait jamais rassasié. Impulsivement, il la serra plus étroitement contre lui, comme pour prendre tout ce qu'il pouvait avant qu'elle ne rouvrît les yeux et ne reprît ses distances. Car, à n'en pas douter, elle reprendrait ses distances. Elle refuserait à nouveau d'admettre que ce qu'ils partageaient était unique.

C'était cette réalité même qui la terrorisait, même si son corps exprimait une passion sans limites. Elle s'était donnée à lui sans retenue, avec une totale générosité. Et la façon dont elle l'avait regardé, dont elle s'était enroulée autour de lui, dont elle l'avait caressé trahissait, sans aucun doute possible, les passions qui habitaient son cœur.

A cette évocation, Dax sentit son propre cœur cogner dans sa poitrine. Jamais aucune femme ne l'avait caressé ainsi, avec autant de désir et d'admiration dans le regard. Ses hésitations, son inexpérience cachaient une nature sensuelle à l'extrême. Le simple contact de sa peau contre la sienne faisait naître en lui une vague de sensations qui se transformaient rapidement en feu d'artifice.

Amber l'avait littéralement ensorcelé. Tout en elle le fascinait. Ses yeux pétillant d'intelligence et ses incertitudes, son courage et sa vulnérabilité. Et puis, il y avait l'amour qu'elle portait à Taylor, la façon admirable dont elle s'en occupait, malgré les écueils de l'existence et les blessures du passé.

Il était amoureux de cette fille. Irrémédiablement amoureux. C'était la première fois qu'il éprouvait un sentiment d'une telle intensité, et ce qu'il attendait d'elle, c'était bien davantage que de l'amour physique, bien que cet aspect de leur relation fût absolument merveilleux. Il voulait la séduire, et la convaincre qu'ils s'appartenaient l'un à l'autre pour toujours. Il voulait passer le reste de sa vie à ses côtés.

Oh, à force de patience, il réussirait certainement.

Pourtant, ce serait tout sauf une victoire, car sans la naissance de Taylor, Amber n'aurait sans doute jamais envisagé une telle existence. Libre de toute contrainte, l'aurait-elle choisi, lui, Dax McCall? D'ailleurs, saurait-il la rendre heureuse? Après tout, elle avait raison quand elle disait qu'ils étaient le jour et la nuit...

Il ferait donc mieux de s'éloigner, de la laisser libre de choisir son avenir... avec ou sans lui.

Comme en réponse à ses tourments, la jeune femme gémit dans son sommeil. Son visage se crispa, comme sous l'effet d'une profonde souffrance.

— Chhhut, murmura Dax, la gorge serrée par l'émotion. Je suis là.

Aussitôt, elle s'apaisa. Son ravissant visage se détendit à nouveau. La tension la quitta, et sa respiration redevint paisible. Il sentait la chaleur de son corps lové contre le sien, comme si elle le cherchait jusque dans ses rêves.

Il ne l'avait pas encore quittée qu'elle lui manquait déjà. Et, malgré le sommeil qui le gagnait, il se refusait à fermer les yeux afin de ne pas perdre une seule seconde de ces moments exquis.

Le babillement de Taylor la réveilla. Elle souleva légèrement les paupières. A demi endormie, elle s'étira langoureusement et respira à fond. Ses lèvres esquissèrent un sourire.

Il lui fallut un instant pour se rappeler qu'elle se trouvait dans le lit de Dax McCall. Seule. Son sourire s'évanouit. Ramenant le drap sur sa poitrine, elle s'assit et regarda autour d'elle. A la vue du message sur l'oreiller, elle sentit les battements de son cœur s'accélérer.

Chère Amber,

Je pars au bureau.

Après l'incendie d'hier soir, l'enquête promet d'être longue et difficile. Il est fort probable que je sois très occupé dans les jours à venir, et il n'est pas certain que je puisse me libérer d'ici quelque temps. Ce serait bien que tu confies Taylor à mes parents pendant mes jours de garde. Ils l'adorent, et c'est avec joie qu'ils prendront soin d'elle.

Tu peux leur faire confiance.

Je t'embrasse.
Dax.

Tu peux leur faire confiance. Il jugeait nécessaire de le lui préciser.

Elle avait, finalement, réussi à le persuader qu'elle était incapable d'accorder sa confiance à qui que ce fût. Le résultat dépassait ses espérances !

Elle ferma les yeux et reposa la tête sur l'oreiller. Le babil joyeux de Taylor lui serra le cœur. Le fait de se réveiller dans ce lit l'aurait comblée de joie... si seulement Dax avait été là. Si seulement elle ne lui avait pas laissé croire que le fossé qui les séparait était infranchissable.

14.

Cela faisait près d'une semaine que Dax n'avait pas donné signe de vie.

Amber soupira douloureusement. Fermer les yeux, se sauver, fuir les émotions — celles qui risquent de faire souffrir... C'était toujours la même course folle avec, à l'arrivée, la solitude pour toute récompense. Pourtant, quelque part en chemin, sa route avait dévié. Elle avait accepté l'amour de Dax. Elle l'avait accepté comme un miracle. Et elle avait fini par éprouver les mêmes sentiments que lui. Malheureusement, elle n'avait pas trouvé le courage de le lui dire. Et ça, c'était une faute impardonnable.

Elle n'était qu'une froussarde ! Voilà, c'était aussi simple que ça.

Son cœur lui avait soufflé les mots, mais elle les avait gardés pour elle. Elle n'avait tout simplement pas su dire à Dax combien elle l'aimait. Par orgueil et par peur. Parce qu'elle continuait à se cacher derrière ses défenses invisibles. Parce qu'elle avait peur de prendre la vie à bras le corps.

Jusqu'à quand allait-elle fuir la réalité ? Elle avait déjà perdu tant de temps... Tout avait commencé un an plus tôt, sous les décombres d'un bâtiment balayé par un tremblement de terre. Ce jour-là, face à la mort, elle avait brutalement pris conscience de l'absurdité de sa vie. Elle avait vu

173

que tout peut changer sans qu'on s'y attende, le temps d'une secousse, d'un battement de cœur...

Plus tard, Dax lui avait appris qu'amour ne rimait pas forcément avec souffrance. Il avait essayé de lui faire entrevoir ce qu'elle avait failli détruire : la confiance qu'il avait réussi à lui inspirer. Cette confiance dont elle mesurait, à présent, la valeur. Quelle leçon il lui avait donnée !

Pourrait-elle jamais lui prouver tout ce que cela représentait pour elle ?

La question lui noua l'estomac.

Cette fois, le moment était venu de se battre pour son bonheur.

Et son bonheur, c'était Dax.

Dax dans sa vie, dans son cœur.

Dax pour toujours...

Amber se rendit directement au bureau de déclarations des naissances pour accomplir une formalité à laquelle elle pensait depuis un bon bout de temps mais qu'elle avait toujours remise à plus tard.

Désormais, Taylor porterait le nom de son père. Elle était une McCall.

Dax allait être fou de joie, songea la jeune femme avec émotion, tout en apposant sa signature au bas du document.

Il y avait encore autre chose qui lui tenait à cœur. Quelque chose de terriblement difficile qui allait nécessiter de sa part une bonne dose d'humilité.

Son père décrocha le téléphone avec sa brusquerie habituelle. Et, quand il reconnut sa voix, il aboya presque :

— Qu'est-ce que tu veux ?

Immédiatement, les vieux réflexes prirent le dessus, et Amber prit une voix glaciale pour répondre :

— Dax m'a dit que tu voulais faire la connaissance de ta petite-fille. Ça tient toujours ?

— Bien sûr, répondit le capitaine Riggs en s'éclaircissant la gorge comme s'il était mal à l'aise.

Bizarre, se dit Amber. Son père ne manifestait jamais le moindre embarras. Pourtant, là, tout de suite, il paraissait un peu nerveux... presque aussi nerveux qu'elle.

— Tu es d'accord ? insista-t-elle.

— Je crois avoir été assez clair. Et je te verrai aussi, par la même occasion.

— Je ne comprends pas, dit Amber avec méfiance.

— Tu ne comprends pas ? J'ai tout de même le droit de voir ma fille unique !

— Moi ?

— Qui d'autre ? Ma parole, tu es sourde, Amber !

Toujours la même attitude autoritaire. Pas un seul mot d'excuse ou de regret. De ce côté-là, rien ne changerait jamais, Amber en était parfaitement consciente. Mais cela ne l'empêcha pas de sourire.

— On peut se voir quand tu veux, dit-elle.

— Dans ce cas, fixons une date.

Lorsqu'elle raccrocha, Amber avait toujours le sourire.

Agenouillé à même le sol, un masque sur la bouche, Dax fouillait les décombres de l'un des appartements dévastés par l'incendie. Cela faisait une semaine qu'il explorait ainsi, vingt-quatre heures sur vingt-quatre, chaque centimètre carré, à la recherche d'indices qui permettraient aux services de police de mettre la main sur le pyromane.

Avec un soupir découragé, il parcourut ses notes. Les lettres se brouillèrent devant ses yeux. Il était au bord de l'épuisement. Pourtant, il n'avait pas le choix. Chaque minute comptait.

Le pyromane n'avait pas seulement provoqué un incendie, il avait tué. C'était un meurtrier susceptible de recommencer. Et son arrestation reposait entièrement sur les épaules de l'inspecteur McCall.

Malheureusement, Dax avait l'impression de ne pas avancer. Ce n'était pas seulement à cause de la fatigue et de la complexité de l'enquête. En fait, il était obsédé par l'idée de sortir de cet enfer pour courir rejoindre Amber. Jusque-là, il était loin d'imaginer que l'amour pût être assez puissant pour le rendre malade et lui faire perdre son énergie. Il devait à tout prix se ressaisir et se remettre à l'ouvrage. Hélas, au bout de quelques minutes, il porta une main lasse à son front. Une méchante migraine martelait douloureusement son crâne, derrière ses yeux rougis par la poussière et le manque de sommeil. Il se sentait fatigué, vidé. Il songea à faire un break pour manger un morceau. Mais s'il s'arrêtait maintenant, il allait de nouveau penser à *elle* et se lamenter sur son sort.

D'un autre côté, fatigué comme il l'était, il ne faisait rien de bon. L'enquête piétinait. Autant retourner au bureau et faire le point sur les résultats du labo. Ensuite, il ferait un saut chez ses parents pour passer un petit moment avec Taylor. D'habitude, c'était son jour de garde.

Quelques minutes plus tard, quand il ouvrit la porte de son bureau, il s'immobilisa sur le seuil. Sa table de travail disparaissait sous des piles de paperasses.

Le moral à zéro, il contempla la scène un instant, puis se dirigea vers la petite cuisine attenante à son bureau. Il ouvrit le réfrigérateur, mais n'y trouva aucun plat cuisiné prêt à être réchauffé. Dépité, il passa la tête par la porte de la cuisine pour s'adresser à ses collègues.

— Salut les gars ! Qui prépare le déjeuner, aujourd'hui ?

Sur les vingt et un pompiers de garde, pas un ne bougea. Ceux qui regardaient la télévision restèrent les yeux rivés sur l'écran, les autres plongèrent le nez dans leurs papiers.

Dax connaissait la règle : le premier qui avait faim était de corvée de cuisine, et le dernier à finir son repas était de corvée de vaisselle.

— Bon, personne n'a faim ? lança-t-il à la cantonade.

Pas un murmure.

176

Et voilà, cette fois-ci, c'était lui qui s'était fait piéger ! S'il avait été de meilleure humeur, il en aurait ri. Mais là, c'était la cerise sur le gâteau ! Il allait devoir préparer de quoi manger pour toute l'équipe au lieu de s'octroyer une petite sieste réparatrice.

Dépité, il mit la radio en marche et s'attela à la préparation d'un plat de spaghettis à la bolognaise. Au moins, il aurait l'esprit occupé, se dit-il en disposant les ingrédients sur le plan de travail. Ça l'aiderait à rester en dehors de cette zone d'ombre, de cette zone de souffrances...

Comme il s'apprêtait à émincer un oignon, il s'immobilisa brusquement, le couteau en l'air, comme pétrifié par l'évidence.

Tout ce qu'Amber lui demandait, c'était un peu de temps. Rien de plus. Et il le lui refusait.

Depuis quand était-il devenu aussi intransigeant, aussi rigide ?

Furieux contre lui-même, Dax se mit à débiter l'oignon en rondelles à coups de couteau rageurs, au risque d'y laisser un doigt.

Il devait lui accorder ce qu'elle lui demandait, conclut-il. C'était la seule chose à faire, et il fallait battre le fer pendant qu'il était chaud. Il se rua sur le téléphone, et composa le numéro d'Amber à l'agence. Après avoir laissé longuement résonner la sonnerie dans le vide, il raccrocha, frustré, furieux, mais néanmoins déterminé.

Elle voulait du temps ? Elle l'aurait, son fichu temps ! Mais qu'elle ne compte pas là-dessus pour lui échapper. Ah ça, non !

Zut ! Voilà que ses oreilles lui jouaient des tours, à présent. Il avait eu l'impression d'entendre une voix féminine — la voix d'Amber.

Exaspéré, il monta le volume de la radio.

Un chœur de protestations s'éleva dans la salle commune. Dax les ignora. Il entendait de nouveau cette voix...

Il tourna le bouton du volume à fond.

Enfin, la paix ! Satisfait, il se tourna pour prendre une tomate dans le panier à légumes. Et là... il se figea. Amber se tenait à quelques pas de lui.

Ma parole, il rêvait tout éveillé — à moins qu'il ne fût victime d'une crise d'hallucination.

Mais non, elle était toujours là. Immobile sur le seuil de la cuisine, elle le regardait avec une expression songeuse, indéchiffrable.

Le cœur serré, incapable de détourner le regard de cette apparition, Dax nota machinalement qu'elle portait une robe extrêmement féminine, incroyablement sexy. Le tissu fleuri épousait souplement les courbes de ses hanches ; une simple dentelle blanche soulignait son décolleté à la fois chaste et provocant.

Bon sang, comme elle était belle ! Comme il l'aimait !

15.

« Du calme, surtout pas de précipitation ! » se dit Dax. Amber était probablement venue lui parler de Taylor.

La jeune femme lui adressa un sourire hésitant. La radio diffusait à tue-tête un air de rock. D'un geste rapide, Dax coupa le son.

Il y eut un long silence. Un silence presque aussi assourdissant que la musique.

— Un problème avec Taylor ? demanda Dax.

— Pas du tout. Elle va très bien, répondit vivement Amber.

Dax hocha lentement la tête. Puis, subitement intrigué, il dévisagea la jeune femme. S'il ne s'agissait pas de Taylor... dans ce cas, quelle était la raison de sa visite ?

Comme d'habitude, Amber semblait parfaitement maîtresse d'elle-même, mis à part ses doigts qu'elle croisait et décroisait nerveusement, signe indiscutable d'une forte tension nerveuse. Il laissa le silence s'installer de nouveau, et attendit la suite.

— Je... j'aimerais te parler, dit Amber.

Elle s'interrompit de nouveau, le regard rivé sur les mains de son compagnon.

Dax s'aperçut alors qu'il tenait toujours à la main le couteau de cuisine et la tomate. Il les posa sur le plan de travail et s'empara d'un torchon pour s'essuyer les mains — ou

179

plutôt pour s'occuper les mains, de peur de ne pouvoir résister à l'envie de toucher Amber, comme pour s'assurer de la réalité de sa présence.

— Tu me surprends dans le rôle du chef cuisinier, dit-il d'un air faussement dégagé.

Un sourire amusé se peignit sur les lèvres de la jeune femme.

— Je ne te connaissais pas ce talent, dit-elle.

Dax ne releva pas. Il continuait de l'observer intensément, gravement. Elle hésita, puis s'approcha d'un pas.

— Excuse-moi de faire irruption ici sans t'avoir prévenu, lui dit-elle doucement. Je n'arrivais pas à te joindre, alors...

— Ce serait plutôt à moi de m'excuser, dit Dax. J'aurais dû t'appeler, au lieu de ne penser qu'à moi. Je me suis comporté comme un mufle.

— Un mufle, toi? répéta Amber, les yeux écarquillés par la surprise. Ça m'étonnerait!

— C'est pourtant la vérité, dit Dax en soupirant. J'avais promis de ne pas te bousculer, de te laisser libre de choisir ton avenir... Mais la vérité, c'est que je suis obsédé par une seule idée : ne pas te laisser m'échapper! Vraiment, Amber, je suis désolé. C'est la première fois que je suis dans l'impossibilité de tenir une promesse, ajouta-t-il dans un souffle.

Les yeux de la jeune femme se brouillèrent. Elle inspira profondément, longuement. Et, quand elle prit la parole, ce fut d'une voix si basse que Dax l'entendit à peine.

— Si je suis venue, Dax, c'est pour te dire...

Elle s'interrompit. Visiblement mal à l'aise, elle baissa les yeux quelques instants avant de redresser à nouveau la tête.

— Ce que j'ai à te dire est tellement difficile... Bien plus difficile que je ne l'imaginais.

— Tu sais bien que tu peux tout me confier, dit Dax, l'estomac noué par l'appréhension.

Ne sachant par où commencer, Amber détourna la tête et laissa son regard errer sur les murs de la cuisine. Les gars de la brigade y avaient épinglé des centaines de photos souvenirs. Portraits de familles, d'enfants, de parents, d'amis, de fiancées... C'était la vie telle qu'elle est, avec ses bonheurs et ses souffrances.

— Ça va sans doute te paraître stupide, reprit-elle, mais je n'arrête pas de penser à toi.

— C'est plutôt flatteur, dit Dax sans se départir de son calme.

— Et ça me rend complètement dingue, ajouta Amber en trouvant le courage d'affronter les yeux bleus qui n'avaient cessé de la fixer. Tu es... Tu es tellement différent de tous ceux que j'ai connus.

— En bien ou en mal ?

Amber ne répondit pas tout de suite. Il continuait de la dévisager, intensément. C'était le moment de prendre son courage à deux mains. Alors, d'une voix tremblante, elle laissa parler son cœur.

— Tu m'as beaucoup appris, Dax. D'abord à ne pas avoir honte d'avouer mes faiblesses, mes limites. Et puis, surtout, j'ai compris que ta présence dans ma vie ne signifiait pas la perte de ma liberté...

— C'est de moi que tu parles ? demanda Dax d'un air surpris.

Elle acquiesça.

— Il y a autre chose, dit-elle.

La gorge sèche, il demanda :

— Quoi donc ?

Immobile, le regard fixé sur elle, Dax attendait. Impossible d'échapper à son magnétisme. Amber se sentait comme hypnotisée. Elle s'approcha jusqu'à le toucher. Puis, avec une lenteur extrême, elle tendit la main vers lui, et frôla sa joue.

— J'ai aussi appris à te faire confiance. Et puis, surtout... j'ai compris que je n'étais pas la seule à être terrorisée par ce courant qui circulait entre nous. Ce que je n'avais pas compris, Dax, c'est que tu avais aussi peur que moi.

Ce fut cet instant que choisirent deux pompiers affamés pour passer la tête par la porte de la cuisine.

— Il y a quelque chose à manger ? demanda le premier. Oh, pardon ! Je ne savais pas qu'on avait de la visite, ajouta-t-il avec un clin d'œil malicieux à l'adresse de McCall.

— Fiche le camp ! grommela Dax, sans quitter Amber des yeux.

— Et le déjeuner ? gémit le second en se frottant vigoureusement l'estomac.

Dax émit un grognement — pour ne pas dire un rugissement — qui mit ses collègues en fuite.

— Dax, tu exagères ! s'exclama Amber, choquée.

— Redis-le-moi ! lui demanda-t-il en la saisissant par les épaules.

— Tu m'as très bien comprise.

Elle s'écarta d'un pas et se tourna vers le comptoir. Là, elle prit le couteau et entreprit de débiter la tomate.

— Tu as chamboulé mon existence, dit-elle d'une voix qui tremblait légèrement.

Dax se glissa derrière elle. Gentiment, mais fermement, il posa ses mains sur les siennes, et l'obligea à lâcher le couteau qu'elle maniait avec une nervosité inquiétante.

— On ne va pas discuter cent sept ans pour savoir lequel de nous deux est responsable de cette situation inextricable, dit-il en passant les bras autour de la taille de la jeune femme.

Il l'embrassa sur la nuque. Dieu, qu'il l'aimait !

— J'avoue, lui chuchota-t-il à l'oreille, que je me suis servi de tes peurs pour dissimuler les miennes.

Amber se retourna lentement pour lui faire face. Elle ouvrit la bouche pour parler, mais Dax posa un doigt sur ses lèvres.

— Laisse-moi terminer. C'est vrai que l'idée d'un engagement me terrifiait, mais, au fond de moi-même, je savais que tu étais la femme de ma vie, et qu'il n'y en aurait jamais d'autre.

— Oh, Dax..., murmura Amber.

Une larme roula sur sa joue.

— Je te l'ai dit : je suis tombé amoureux de toi dès le premier jour, poursuivit Dax d'une voix enrouée. Mais je ne supporte pas l'idée de te faire souffrir en t'imposant des sentiments que tu ne partages peut-être pas... Je ne veux pas te faire pleurer.

— Je sais, souffla la jeune femme.

Elle releva la tête. Leurs regards se croisèrent, restèrent fixés l'un à l'autre. Du bout des doigts, elle suivit le contour ferme de la mâchoire de son bien-aimé. Puis, doucement, dans un murmure à peine audible, elle lui confia :

— Ce matin, j'ai appelé mon père. Nous allons nous revoir. Pour Taylor. Et...

Elle s'interrompit, posa le front contre le torse de cet homme dont le bonheur était pour elle de la plus haute importance. Elle voulait lui montrer à quel point il comptait pour elle. Elle avait envie de partager ses pensées et ses rêves avec lui. Elle voulait oublier la prudence. Elle voulait seulement laisser libre cours à l'amour qu'elle ressentait et qui était de plus en plus fort.

— Ce matin, j'ai fait une démarche importante. Désormais, Taylor porte ton nom.

Le visage de Dax s'illumina de joie.

— Tu as vraiment fait ça ?

Il y avait une note de doute dans sa voix.

— Dax, murmura-t-elle. Est-ce trop tard... trop tard pour te dire que je t'aime ?

Il la dévisagea, l'air grave. Elle se demanda ce qu'il ressentait, et pourquoi il se taisait.

Soudain, des applaudissements éclatèrent. Comme s'il se rappelait subitement où il se trouvait, Dax jeta un coup d'œil par-dessus son épaule. Une douzaine de pompiers contemplaient la scène en riant. Alors, il tourna la tête vers Amber, et lui adressa son irrésistible sourire.

— Ma foi, non, dit-il. J'attendais le meilleur moment pour renouveler ma demande en mariage. Devant témoins, cette fois.

Sans quitter la jeune femme des yeux, il lui demanda :

— Amber, veux-tu m'épouser ?

Elle soutint son regard, et y lut de la tendresse, du désir, de l'amour. Il lui donnait le sentiment d'être la plus aimée de toutes les femmes. Elle éprouva soudain un grand bonheur, et un sentiment de totale confiance qui la libéra de son appréhension.

Elle sourit, et murmura :

— Oui, je le veux. Je suis à toi pour toujours, Dax McCall.

Un agent très spécial !
par Darlene Gardner - n°7

Commanditaire : Cliff Paterson

Agent spécial : Jay Overman

Cible : Tara Paterson, gérante de l'hôtel Excelsior

Votre Mission : Vous faire passer pour le nouvel agent d'entretien de l'hôtel – stop – Surveiller Tara Paterson de près – stop – Empêcher d'éventuels prétendants de lui tourner autour – stop – Vous avez carte blanche pour les éloigner de la cible – stop – Attention – stop – Ne pas la surveiller de trop près ! – stop - Dans quelques secondes, ce message s'autodétruira…

Chère lectrice,

Vous nous êtes fidèle depuis longtemps?
Vous venez de faire notre connaissance?

C'est pour votre plaisir que nous avons
imaginé un rendez-vous chaque mois
avec vos auteurs préférés, vos
AUTEURS VEDETTE dans les
collections Azur et Horizon.

Les AUTEURS VEDETTE vous
donneront rendez-vous pour de
nouveaux livres vedette.

Pour les reconnaître, cherchez
l'étoile ... Elle vous guidera!

Éditions Harlequin

HARLEQUIN

LE FORUM DES LECTEURS ET LECTRICES

CHERS(ES) LECTEURS ET LECTRICES,

VOUS NOUS ETES FIDÈLES DEPUIS LONGTEMPS?

VOUS VENEZ DE FAIRE NOTRE CONNAISSANCE?

SI VOUS AVEZ DES COMMENTAIRES, DES CRITIQUES À FORMULER, DES SUGGESTIONS À OFFRIR, N'HÉSITEZ PAS... ÉCRIVEZ-NOUS À:

> LES ENTERPRISES HARLEQUIN LTÉE.
> 498 RUE ODILE
> FABREVILLE, LAVAL, QUÉBEC.
> H7R 5X1

C'EST AVEC VOS PRÉCIEUX COMMENTAIRES QUE NOUS ALLONS POUVOIR MIEUX VOUS SERVIR.

DE PLUS, SI VOUS DÉSIREZ RECEVOIR UNE OU PLUSIEURS DE VOS SÉRIES HARLEQUIN PRÉFÉRÉE(S) À VOTRE DOMICILE, NE TARDEZ PAS À CONTACTER LE SERVICE D'ABONNEMENT; EN APPELANT AU (514) 875-4444 (RÉGION DE MONTRÉAL) OU 1-800-667-4444 (EXTÉRIEUR DE MONTRÉAL) OU TÉLÉCOPIEUR (514) 523-4444 OU COURRIER ELECTRONIQUE: AQCOURRIER@ABONNEMENT.QC.CA OU EN ÉCRIVANT À:

> ABONNEMENT QUÉBEC
> 525 RUE LOUIS-PASTEUR
> BOUCHERVILLE, QUÉBEC
> J4B 8E7

MERCI, À L'AVANCE, DE VOTRE COOPÉRATION.

BONNE LECTURE.

HARLEQUIN.

VOTRE PASSEPORT POUR LE MONDE DE L'AMOUR.

COLLECTION HORIZON

Des histoires d'amour romantiques qui vous mènent au bout du monde!

Découvrez la passion et les vives émotions qu'apportent à la Collection Horizon des auteurs de renommée internationale!

Captivantes, voire irrésistibles, ces histoires d'amour vous iront assurément droit au coeur.

Surveillez nos quatre nouveaux titres chaque mois!